これならわかる 戦争の歴史 Q&A

HISTORY OF WAR

石出法太
石出みどり［著］

大月書店

読者のみなさんへ

『ネルソンさん、あなたは人を殺しましたか？』という本★1があります。アレン・ネルソンさんは一九六六年から、アメリカ兵としてヴェトナム戦争★2で戦いました。家庭が貧《まず》しく、高校を中退して一八歳で海兵隊《かいへいたい》に入り、沖縄の米軍基地で厳しい訓練をうけました。その結果、彼は殺人マシンとなり、ヴェトナムで多くの人を平気で殺し、何人もの戦友の死を目の前で見ました。

ある日、いつものように解放戦線《かいほうせんせん》の兵士を捕《つか》まえ、尋問《じんもん》したときのことです。殴《なぐ》られ足の骨を折られた男は、片言《かたこと》の英語でこう話しだしました。「なぜ、あなたたちは私の国にいて、私たちを殺しているのですか？　私たちは自由のために戦っています。あなたたち黒人も、自分の国では自由すらないではありませんか」。ネルソンさんたちは、みなアフリカ系アメリカ人でした。しかし彼らは男を殺し、井戸に投げ捨てました。この言葉が何度もよみがえってきたのは、現地から引きあげる途中のことです。これはのちにネルソンさんに反戦・非暴力の運動をはじめさせた、ひとつのできごとでした。

帰国したネルソンさんは、戦争で負った心の傷《きず》★3に苦しめられます。あるとき小学校で戦争体験を話す機会がありました。質問の時間になると一人の女

★1　アレン・ネルソン著（二〇一〇年、講談社文庫）。彼のドキュメンタリーDVDもある。

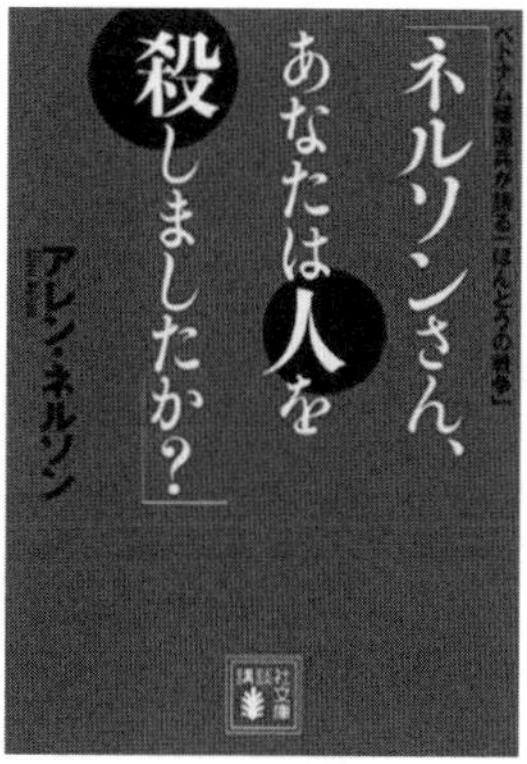

★2　一九六五年アメリカが本格的介入を開始、七三年撤退、七五年終結。

★3　後遺症のPTSD（心的外傷後ストレス障害）。

の子が立ち上がり、「ネルソンさん、あなたは人を殺しましたか？」と尋《たず》ねました。彼は目をつぶり、やっとの思いで「イエス……」と答えました。その子は「かわいそうな、ネルソンさん」と涙をためました。この後、彼は少しずつ変わり、戦争体験を語ることで反戦と非暴力を訴《うった》える「語《かた》り部《べ》」として活動をはじめました。

　ネルソンさんは日本にも講演で訪《おとず》れ、沖縄にまだ米軍基地があることや、侵略《しんりゃく》戦争を正当化する日本の政治家の発言に驚《おどろ》きます。そして何よりも日本国憲法第九条を高く評価しました。戦争や植民地支配を反省し、二度とそうした過《あやま》ちをくりかえさないと決意し、暴力や戦争による解決を否定している提案《ていあん》だ、というのです。

　著者の私たちは、ほんものの戦争を知りません。[★4] ヴェトナム戦争は大学時代までつづきましたが、毎日のように新聞やテレビで報道されました。ジャングルをすすむ兵士や砲撃《ほうげき》、爆弾投下の映像は、事実ではあっても真実を伝えず、多くはアメリカ側に都合のよいものでした。しかし自分で戦場を取材し、報道するジャーナリストたち[★5]がいました。真実を知った人びとは世界中で反戦運動をひろげ、その高まりはアメリカ政府をゆるがしました。[★6] そしてこの経験は、国民の士気《しき》を高め戦争をやりとげるには、報道や情報伝達《でんたつ》の厳重なコントロール、たくみな操作《そうさ》が必要だ、という「教訓《きょうくん》」を、政府と軍、戦争遂行勢力《すいこうせいりょく》にあたえました。

　その後今日《こんにち》まで、たくさんの戦争がつづいています。しかし日本の私たち

テレビドラマ『コンバット！』日本での放送は一九六二～六七年、全一五二話

★4　子どものころから『コンバット！』のようなたくさんの戦争物のテレビ番組や映画、マンガ、兵隊や兵器の読み物があった。英雄の活躍、勇気、厳しくとも部下思いの上官、戦友との友情、自己犠牲の死。これらは戦争を「カッコいい」と感じさせた。しかし親は「ほんとうの戦争はそんなものではない」と、苦い顔をしていた。

★5　日本人では本多勝一、開高健、戦場カメラマンとしては沢田教一、岡村昭彦、一ノ瀬泰造、石川文洋がよく知られる。

★6　ジョンソン大統領は二期目の立候補を断念、ニクソンは和平を公約して大統領に当選した。

にとって、なぜか戦争は遠く思えます。自己規制《じこきせい》をふくむ報道統制《とうせい》があり、戦争の真実が隠《かく》されているからです。いつの時代でも戦争は残酷《ざんこく》です。いつも民衆《みんしゅう》が犠牲《ぎせい》になり、利益を得る少数者がいます。外国の戦争と日本とのつながりも知らされません。そして「平和な日本」では戦争肯定論《こうていろん》や軍事力増《ぞう》強論《きょうろん》、戦争待望論《たいぼうろん》がまかり通っています。

本書では、先史《せんし》時代から現在まで、世界の戦争をとりあげました。戦争をとおして、世界史を学ぼうという試みです。戦争ばかりだなんて、嫌《いや》になるかもしれません。しかし戦争を知らずに、この私たちの世界を理解することはできません。「明治二七年に日清《にっしん》戦争がおき、日本が勝ち、下関《しものせき》条約で台湾その他を手に入れた」といったことだけが、戦争の歴史ではないのです。本書では日清戦争を、「なぜ朝鮮が戦場になったのか」という問いから、考えようとしています。

戦争の数は膨大《ぼうだい》で、有名な関ヶ原の戦いやワーテルローの戦い、スターリングラードの戦い、そして沖縄戦もとりあげられませんでした。もっとくわしく書きたかったことも、たくさんあります。しかしそれは別の本でも調べられます。正解はつねにひとつとはかぎりません。みなさんがこの本を読んで、どなたかと話したり、考えたり、また疑問が浮かんで答えを探そうとするならば、こんなにうれしいことはありません。調べたこと、考えたことを、ぜひお友だちやご家族に、また私たちに伝えてください。

アメリカ合衆国議会議事堂前でのヴェトナム反戦集会（一九七一年。写真提供：SPUTNIK／時事通信フォト）

◆の印は戦争の歴史に関連する映画の紹介です。現在視聴可能と思われる作品をあげましたが、史実よりも物語性や娯楽性が重視されたものもあります。

これならわかる戦争の歴史Q&A

【目次】

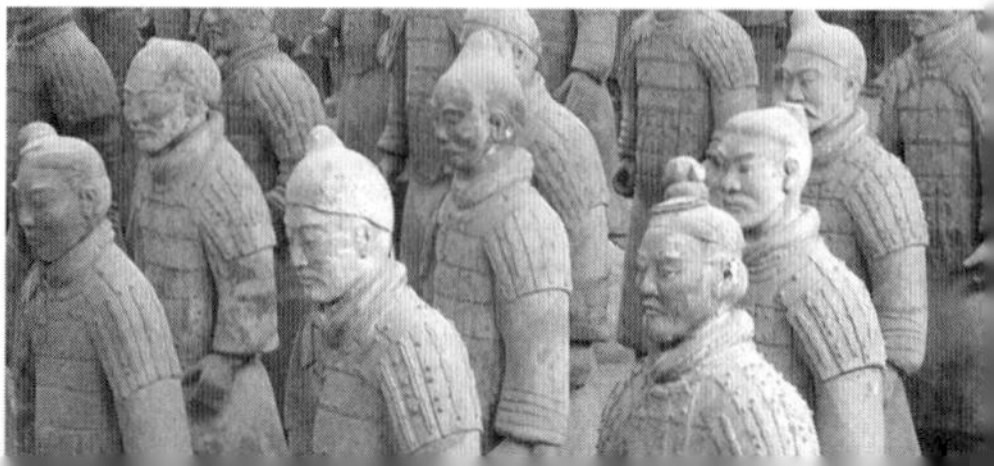

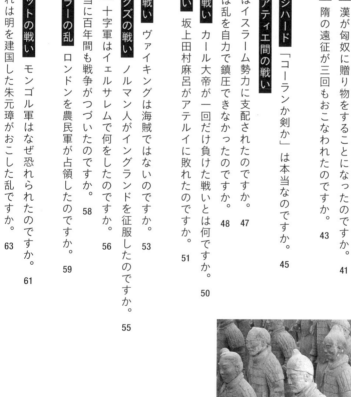

8 宗教がからんだ戦争

9 一六世紀の戦争

10 アメリカにおける戦争

15 二つの世界大戦のあいだの時代

16 第二次世界大戦

17 冷戦の時代

18 朝鮮戦争とヴェトナム戦争

19 一九六〇〜八〇年代の戦争

20 今日の戦争

殷墟。副葬された戦車と馬（Ｑ２参照）

1 戦争のはじまり

人類はいつから戦争をするようになったのでしょう。みなさんは、人類にとって戦争は避《さ》けられないと思いますか。歴史を見ていくと、戦争がおこる理由は時代によってかなり異《こと》なります。人類誕生のころや古代文明が栄《さか》えた時代は、どんな理由だったのでしょうか。

Q1

先史

ネアンデルタール人はクロマニョン人によってほろぼされたのですか。

A 人類誕生の地はアフリカで、今からおよそ七〇〇万年前のことといわれます。最初の猿人《えんじん》につづいて、およそ一八〇万年前ころ原人《げんじん》があらわれ、彼らがアフリカから地球上の各地にひろがり、四〇万年前には西アジアとヨーロッパに旧人《きゅうじん》とよばれるネアンデルタール人が出現しました。

ネアンデルタール人はさまざまな打製《だせい》石器を使い、毛皮の衣服をまとい、死者を埋葬《まいそう》したので、彼らの文化は新人★1とよばれるクロマニョン人★2など現生《げんせい》

★1　約二〇万年前にアフリカに現れ、五万年前ころ以降世界各地にひろがった。
★2　約四万二〇〇〇年前にあらわれ、現生人類の直接の祖先とされる。
★3　ネアンデルタール人の絶滅を四万年前とする説もある。

人類《じんるい》（ホモ・サピエンス）と同質のものだったと考えられています。

しかしこのネアンデルタール人は、約二万七〇〇〇年前★3に姿を消します。原因はわかりませんが、ネアンデルタール人とホモ・サピエンスとのあいだに何らかの衝突《しょうとつ》がおこり、ネアンデルタール人が絶滅《ぜつめつ》に追いやられたという説があります。

しかし古人骨《こじんこつ》には、暴力《ぼうりょく》的な攻撃や、その結果による殺人の証拠《しょうこ》は稀《まれ》で、★4ネアンデルタール人とホモ・サピエンスの対立や戦争があったことを示すものは、見つかっていません。

有力な仮説《かせつ》は、食料獲得《しょくりょうかくとく》★5などの生存競争《せいぞんきょうそう》でホモ・サピエンスに敗《やぶ》れたという説です。あるいは、当時最後の氷河期《ひょうがき》が終わりに近づき、彼らは環境の変化に適応《てきおう》できなかったとも考えられます。ヨーロッパでは火山の噴火《ふんか》による環境変化もありました。

今日では、ネアンデルタール人の最後の時期はホモ・サピエンスと共存していたと見られ、遺伝子《いでんし》研究の面から、ネアンデルタール人とホモ・サピエンスの関係が調べられています。

★4　イラクで発見されたネアンデルタール人の骨には深い傷があり、殺人あるいはそれに匹敵する暴力行為があったことが推測される。
★5　ネアンデルタール人の食生活や石器は、絶滅前まで変化がなかった。

現生人類の移動と拡散。数字は移動の年代（〜年前）

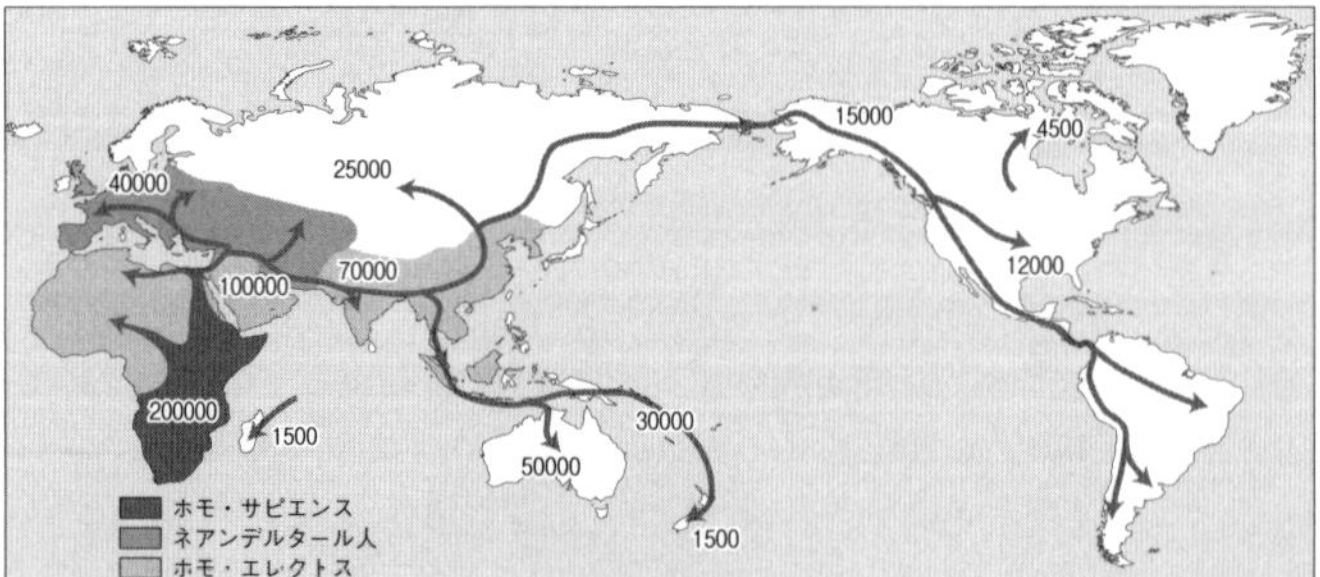

Q2

中国 殷《いん》

殷には七〇万人の軍隊があったのですか。

A 紀元前四八〇〇年くらいの仰韶《ぎょうしょう》文化[★1]の半坡遺跡《はんぱいせき》では、深い環濠《かんごう》[★2]が村の守りを固めていました。また、竜山《りゅうざん》文化[★3]の遺跡の都市には土で固めた城壁《じょうへき》があり、有力者であることを示す副葬品《ふくそうひん》とともに、武器と見られる石鏃《せきぞく》や石槍《いしやり》がたくさん見つかりました。農耕《のうこう》のはじまりが食料の備蓄《びちく》を可能にし、人びとのあいだに支配関係が生まれ、戦いがおこなわれて都市が統合《とうごう》され、王朝《おうちょう》国家が成立したと見られます。

古代中国の王朝について知る有力な手がかりは、『史記《しき》』[★4]です。中国最初の王朝としては夏《か》王朝[★5]があげられますが、現在確認できるのはその次の殷《いん》王朝からです。その殷は、紀元前一一世紀ころに周《しゅう》によってほろぼされました。『史記』には、殷の最後の王となる紂王《ちゅうおう》は、政治をかえりみず民《たみ》を苦しめたため、周の武王《ぶおう》が諸侯《しょこう》と協力してやぶったと記《しる》されています。

周の武王ひきいる同盟《どうめい》軍は戦車四〇〇〇台、うち周軍は三〇〇台、兵四万八〇〇〇人。殷の紂王は七〇万人の兵をひきいていたとされています。しかし、『史記』が書かれたのは、殷の滅亡《めつぼう》から一〇〇〇年も後のことでした。一九世紀末に甲骨《こうこつ》文字[★6]が発見され、この時代のことがわかるようになり、今日では当時七〇万人もの大軍勢《ぐんぜい》はありえないとされ、また紂王を暴君《ぼうくん》とする

★1　前五〇〇〇〜前三〇〇〇年ころの黄河中流域の新石器文化で、彩陶を特色とする。
★2　集落の周囲にめぐらした堀。
★3　前二五〇〇〜前二〇〇〇年ころの黄河下流域の新石器文化。牧畜・養蚕もおこなわれていた。
★4　前漢の司馬遷（前一四五ころ〜前八六年ころ）による中国最初の通史。
★5　殷によってほろぼされたとされる。中国などでは実在の王朝とされるが、確実に存在を証明する出土文字史料は発見されていない。
★6　殷の時代には亀の甲羅や牛の肩甲骨に熱を加え、ひび割れの形で将来が占われていた。甲羅や骨に内容を刻んだ文字が甲骨文字である。

エピソード★7も後世《こうせい》のつくり話だと考えられるようになりました。

殷の王は神々をまつり、精神的にも人びとを支配し、王朝の運営に関わる戦争などは占《うらな》い★8によって決定されていました。殷周辺の異民族には、王が自身で兵をひきいて遠征《えんせい》しています。王権が強大だったことは王の墓からも確認され、そこには武器をもつ兵士も埋葬《まいそう》されていました。実際の殷代の動員兵力は数千人だったと見られています。

Q3

インド 古代

インダス文明はアーリア人★1によってほろぼされたのですか。

A インダス文明★2を代表する遺跡が、パキスタンにあるモエンジョ・ダーロです。城壁にかこまれた都市遺跡で、何回か洪水《こうずい》におそわれた跡《あと》が見られます。このモエンジョ・ダーロからは、明らかに埋葬されたものではなく、何らかの惨劇《さんげき》があったのではないかと考えられる人骨が、多数発見されました。

当初、これらの人骨は侵入《しんにゅう》してきたアーリア人による「虐殺《ぎゃくさつ》」の跡で、インダス文明はアーリア人によってほろぼされたとする説が出されました。バラモン教★3の聖典《せいてん》『リグ・ヴェーダ』には、アーリア人が黒い肌の先住民と戦い、城壁をもつ都市を破壊《はかい》したと記され、青銅《せいどう》製の武器と馬がひく戦車がア

★7　『史記』の「酒池肉林」の話が有名。今日では紂王とよばれる殷最後の王（帝辛）は、実際は熱心に政治にとりくんだ王で、暴君ではなかったとされる。

★8　王による祭祀は純粋な信仰によるものではなく、王の行為を正当化し、王の宗教的な権威を高める役割があった。したがって、占いは都合のよい結果が出るよう、骨があらかじめ加工されていたともいわれる。

★1　原住地の中央アジアで遊牧生活をおくっていた人びとで、前二〇〇〇年ころに移動を開始し、インドやイランに定住した。

★2　前二六〇〇年ころ成立。インドからアフガニスタンまで二〇〇〇か所以上の遺跡が確認され、さらに新しく発見されている。モエンジョ・ダーロとハラッパー遺跡に依拠した従来の解釈は、大きく変わろうとしている。

★3　古代インドに成立した宗教。自然を神格化した多くの神をまつり、祭式を重視する。

ーリア人の勝利をもたらしたらしいのです。

　しかし、神話をそのまま史実と考えることはできません。今日では、人骨は洪水や火災などによる犠牲者とみられています。さらに、都市の城壁は日《ひ》干《ぼ》し煉瓦《れんが》でつくられ、防御《ぼうぎょ》には不向きでした。甲冑《かっちゅう》などは発見されず、発掘された槍《やり》や矢じりは実戦的なものでないといわれます。ということは、インダス文明では軍事的なことは重要ではなかったと推測《すいそく》できるのです。そして考古学的な年代測定の結果、インダス文明の衰退《すいたい》時期は、アーリア人の侵入時期よりも前であることが明らかになりました。

　こうして、現在ではアーリア人による文明破壊説[★4]は否定されています。インダス文明は都市間の抗争《こうそう》や外部からの脅威《きょうい》が少なく、他の古代文明とはちがって、武力による強制力を必要としない、戦争とはむすびつかない社会だったと考えられています。[★5]

モエンジョ・ダーロ遺跡

★4　文明衰退の背後に必ず征服者がいるとする考え方が、こうした説を生むと指摘される。

★5　インダス文明では王墓などの記念碑的建造物は見つかっておらず、権力者の存在を示す決定的なものが発見されていない。特定の人への富の集中が見られず、中央集権的な権力も存在しなかったと考えられる。

Q4

カデッシュの戦い

史上初の平和条約がむすばれたのですか。

A トルコの首都アンカラの東に、ボアズキョイ★1があります。二〇世紀初頭、この小さな村の遺跡から一枚の粘土板《ねんどばん》★2が発見されました。そこにはエジプトとヒッタイトとのあいだでむすばれた平和条約が書かれていました。それはエジプトで発見されていた史料と、ほとんど同じ内容でした。

前一二八六年ころ★3、シリアのカデッシュ★4で、エジプトのラメセス二世とヒッタイトのムワタリが、シリア地方の支配権をめぐって戦いました。両軍とも二〇〇〇台をこえる戦車と数万の兵が向かいあいました。戦いは激戦《げきせん》となり、遠くから強行軍をつづけてきたラメセス二世ひきいるエジプト軍は大苦戦。ヒッタイトの戦車に圧倒《あっとう》されたエジプト軍は、多くの犠牲を出しました。

しかし決定的な勝利は、どちらにもありませんでした。この戦いのようすは、エジプトのルクソールにあるラメセス二世が建てた神殿に刻《きざ》まれています。

紀元前一七世紀ころに小アジア地方（現在トルコがある地域）を支配下においたヒッタイトは、石器や青銅製の武器を用いていた時代に、はじめて鉄製の武器を使用したとされています。当時、鉄は入手がむずかしく、ヒッタイトは鉄の製法を外部には漏《も》らさないようにしていました★5。鉄製の武器と二輪の戦車が、ヒッタイトを強大にしたといわれます。

★1 かつてのハットゥシャで、ヒッタイトの都がおかれていた。

★2 現在イスタンブル考古学博物館にあり、国際連合の本部にはレプリカが展示されている。

★3 戦いのおこなわれた年は諸説ある。

★4 シリアのオロンテス河畔の古代要塞都市。

★5 最近ではヒッタイトより一〇〇〇年もさかのぼる遺跡から鉄のかたまりが発見されており、アナトリアの先住民によって鉄の使用が開始されたという説が出されている。

古代の西アジア

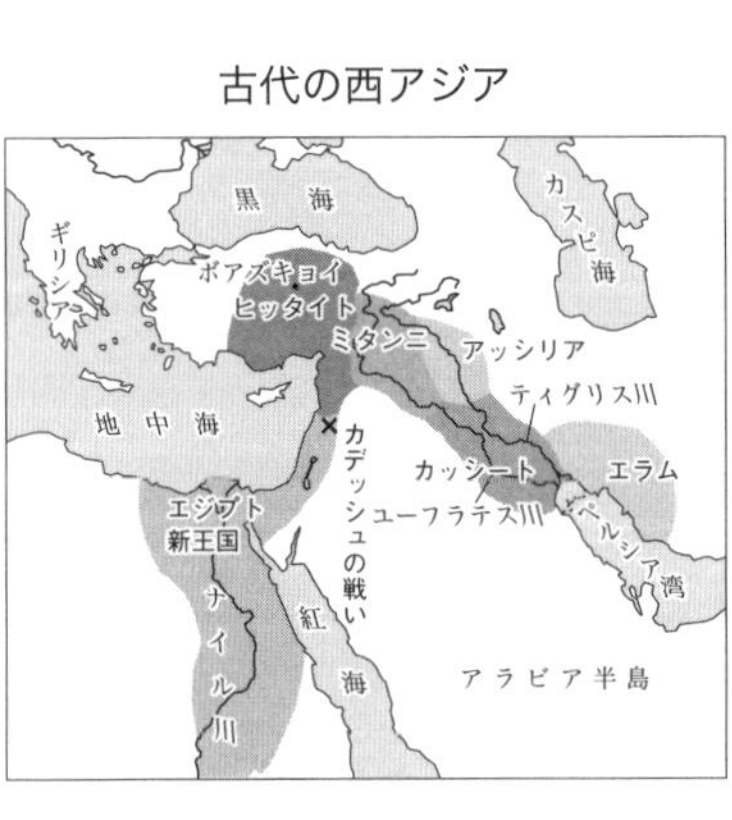

戦いの後、エジプトとヒッタイトは、両国がたがいに攻撃しあわないこと、共同防衛《ぼうえい》などをうたった平和条約をむすびました。[★6] カデッシュの戦いは史上初の公式な記録に残された戦いで、しかも史上初の平和条約が取り交《か》わされた戦いとなりました。

★6 ムワタリの後継者のハットゥシリ三世とラメセス二世のあいだでむすばれた。この背景には東方の強力なアッシリアの存在があったといわれ、この条約によって東地中海地方にはしばらく均衡がもたらされたとされる。

Q5

日本 弥生時代

戦争にそなえた村がつくられたのですか。

A 弥生時代を代表する集落《しゅうらく》遺跡に、吉野ケ里《よしのがり》遺跡[★1]（佐賀県）があります。遺跡の最大の特徴は環濠《かんごう》集落、すなわち、防衛のための濠《ほり》にかこまれた集落であることです。外濠《そとぼり》と内濠《うちぼり》の二重の環濠があり、外濠はV字型に深く掘られ、総延長は約二・五キロメートルにおよびます。濠の周辺には木柵《もくさく》、土塁《どるい》など敵の侵入を防ぐ柵がもうけられ、環濠内には見張りのための物見《ものみ》櫓《やぐら》も建設されていました。

瀬戸内海周辺の海を見下ろせる高台にも、弥生時代の集落遺跡があり、高《こう》地性《ちせい》集落とよばれます。敵の襲来を見張るためでしょうか。狼煙《のろし》をあげるためと見られる、中で火を燃やした穴も見つかっています。[★2]

さらにこの時代の戦いの犠牲者と見られる骨も多数出土しており、青銅製や石製の武器が人骨に刺さったままで発見され、九州北部には戦死者の墓と

★1 一九八六年以降の発掘調査で発見された。墳丘墓などの墓地では、身分差が確認される。

★2 香川県紫雲出山（しうでやま）遺跡、兵庫県会下山（えげのやま）遺跡など。高地性集落は、生業をいとなむのには不向きな場所にあり、平地の集落と連携して戦いにそなえた集落と考えられる。

推定されるものも見られます。また武器の登場も、戦争があったことを示します。石鏃《せきぞく》は縄文時代のものと比べて大型化し、重くなりました。狩猟《しゅりょう》用から人間を殺す武器になったのです。磨製《ませい》の石剣や石戈《いしほこ》★3、青銅製の武器、鉄製の武器があらわれてきたことは、墓の副葬品《ふくそうひん》からもわかります。

縄文時代には小さな争いはありましたが、戦争はなかったと考えられます。戦争にそなえた集落は紀元前二世紀から増えますが、おそらく社会の変化があったのでしょう。農耕がはじまって、しばらくしてからのことです。中国の史書《ししょ》★4には、弥生時代後期の二世紀後半に「倭国《わこく》で大乱」と書かれており、大規模な戦争がおきていたことをうかがわせます。

★3　戈（ほこ）は柄（え）に刀部をつけ、打ち込んで引き斬るように使う武器。

★4　『三国志』の魏志倭人伝や『後漢書』の東夷伝など。

吉野ケ里遺跡

描かれた重装歩兵（Q２参照）

2 古代ギリシアの戦争

古代のギリシアには、ギリシアという統一国家はなく、小さな都市国家（ポリス）がひしめいていました。代表的なポリスがアテネとスパルタです。各ポリスはたがいに勢力を競《きそ》いあい、戦争が続発しました。しかし外敵の侵略をうけたときは、ポリスはギリシア人としてまとまり、団結して戦いました。

Q1

トロイア戦争

「トロイの木馬」の話は本当ですか。

A トロイア（トロイ）はギリシアとエーゲ海をはさんで向かいあう、小アジア西岸（現在はトルコ共和国）の古代都市です。古代ギリシアの伝承《でんしょう》では、かつてギリシアの連合軍がここに遠征し、長い戦争をしたと伝えられてきました。

この話は紀元前八世紀ころの詩人ホメロス★1が書いた叙事詩《じょじし》で有名です。それによれば戦争の発端《ほったん》は、ギリシアのスパルタ★2の王妃《おうひ》が、財宝とともにトロ

★1　トロイア戦争に関する『イリアス』や『オデュッセイア』の作者とされているが、作品については作者複数説があり、作者の実在自体を疑問視する説もある。
★2　ギリシアのペロポネソス半島の南部にあったポリス。

イアに連れ去られたことでした。ギリシアの連合軍は大艦隊《かんたい》でトロイアに遠征し、ギリシアの神々もギリシア側とトロイア側に分かれて戦います。しかし一〇年経っても城は落ちません。ギリシア側は奇策《きさく》をうち、巨大な木馬《もくば》を残して撤退《てったい》と見せかけました。その夜トロイアが城内に運び込んだ木馬から、中に隠《かく》れていた兵士たちがあらわれ、城門を開きました。侵入したギリシア軍に不意をつかれたトロイアは、一夜で陥落《かんらく》しました。

しかしこの話は事実ではなく、トロイアにどのような人びとがいたのかもよくわかりません。それでも小アジアで実際にあった戦争が、もとになった可能性はあります。19世紀末ドイツのハインリヒ・シュリーマン★3は、このホメロスの叙事詩を史実と信じ、トロイアの遺跡を追い求めました。彼は当時オスマン帝国が支配していたこの地域で発掘をつづけ、ついに遺跡★4から黄金のネックレスなど、多くの宝飾品《ほうしょくひん》を発見しました。しかしのちに、火災の跡が残るこの地層《ちそう》は、トロイア戦争の時代ではないことが判明《はんめい》しました。★5「トロイの木馬」はやはり伝説のなかでの話なのです。

ギリシアとトロイア

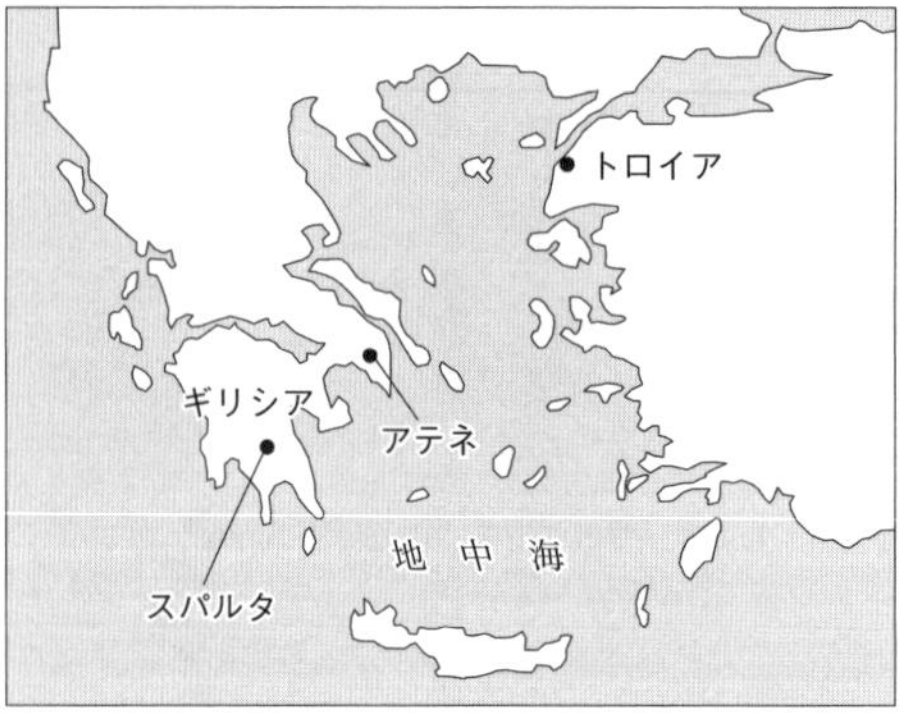

★3　(一八二二〜一八九〇年) クリミア戦争で財をなし、トロイアやミケーネ遺跡を発掘した。幕末に日本を訪れたときの旅行記もある。

★4　ヒサルルック遺跡ともいい、ここをトロイアとする確証はないともいわれる。

★5　遺跡は前三〇〇〇年くらいからのもので九層からなり、シュリーマンは火災の跡がある下から二層目をトロイア戦争の時代の遺跡と推定した。今日では焼失跡が見られる六層目か七層目が、トロイア戦争があったとされる時期にむすびつく可能性があるとされる。

◆映画『トロイ』(二〇〇四年、ウォルフガング・ペーターゼン監督) アキレウスを主人公とする歴史スペクタクル映画。

Q2

マラトンの戦い

ペルシア戦争で、重装歩兵はどんな戦いをしたのですか。

A 紀元前四九〇年、ペルシアの大軍約二万が、アテネの北東わずか四〇キロのマラトンに上陸しました。ギリシア側はアテネとプラタイアの連合軍約一万で、アテネ軍九〇〇〇の中心は重装歩兵《じゅうそうほへい》★1でした。

重装歩兵はかぶとと胸当て、脛《すね》当てをつけ、左手には直径一メートルほどの青銅と皮を貼った丸い木製の楯《たて》をもちます。右手には二メートルほどの攻撃用の長槍をにぎり、槍が折れれば腰の短剣をぬいて戦います。重装歩兵はすき間なく横に並んで楯の壁をつくり、前後八列から一〇列の隊列を組みました。戦闘ではこの四角い密集隊形《みっしゅうたいけい》をくずさず、防御しながら戦います。集団の一糸《いっし》乱れぬ動きには、訓練《くんれん》が欠かせませんでした。

マラトンでは、ギリシアの重装歩兵軍が駆け足でペルシア軍を奇襲《きしゅう》し、白兵戦《はくへいせん》となりました。騎兵や弓兵《きゅうへい》の援護《えんご》なしの、歩兵だけの突撃《とつげき》です。ヘロドトス★2によるとギリシア軍の犠牲は一九二人、敗れたペルシア軍は六四〇〇人とされますが、これはギリシアの勝利を誇大《こだい》に伝えているようです。

その勝利の知らせがどのようにして届《とど》いたかは、有名です。一人の兵士がマラトンからアテネまで走りつづけ、勝利を伝えると息絶《いきた》えたという、近代オリンピック種目マラソン誕生のエピソードです★3。しかしこの逸話《いつわ》はマラト

★1 市民の戦士。武器や装備は自前なので、裕福な市民にかぎられた。

★2 前五世紀のギリシアの歴史家。ペルシア戦争を記した『歴史』を著した。

★3 一八九六年のオリンピック第一回アテネ大会で、マラトンからアテネまでのマラソン競技が取り入れられた。

ペルシア戦争（第1～3回）関係図

ンの戦いを記したヘロドトスの著作にはなく、後世につくられたもののようです。マラトンの勝利はアテネに大きな自信をあたえ、のちのアテネの興《こう》隆《りゅう》につながりました。

Q3 サラミスの海戦

海戦の勝利は何をもたらしたのですか。

A マラトンで敗北したペルシアの王ダレイオス一世の後をついだのが、クセルクセスです。彼は父の遺志《いし》をつぎ、総勢《そうぜい》二〇万もの大軍でふたたびギリシアに向かいました。★1

ギリシアのポリスは同盟《どうめい》をむすんで対抗《たいこう》します。なかでも当時のアテネは、二〇〇隻《せき》の三段櫂船《かいせん》をもつギリシア一の海軍国でした。櫂船《かいせん》は、ペルシアからの攻撃にそなえて将軍テミストクレスの提案で建造《けんぞう》された乗員約二〇〇人★2の大型船★3です。漕《こ》ぎ手は上中下の三層に分かれて座《すわ》り、笛にあわせて櫂《かい》を漕ぎました。水面から遠い上の段の櫂は、長さ三メートル以上です。

ペルシア軍は強く、レオニダス王がひきいる三〇〇人のスパルタ軍を全滅させ、アテネも占領《せんりょう》します。テミストクレスはアテネの老人や女性、子どもをサラミス島などに避難《ひなん》させ、残った市民を櫂船の漕ぎ手につかせました。

紀元前四八〇年九月、約七〇〇隻のペルシア艦隊《かんたい》は、ギリシア艦隊三八〇

★1　非戦闘員をふくむ兵力については、二〇〇万〜五万まで諸説ある。

★2　奴隷ではない漕ぎ手一七〇人、乗り移って戦う重装歩兵三〇人、その他若干の乗員。

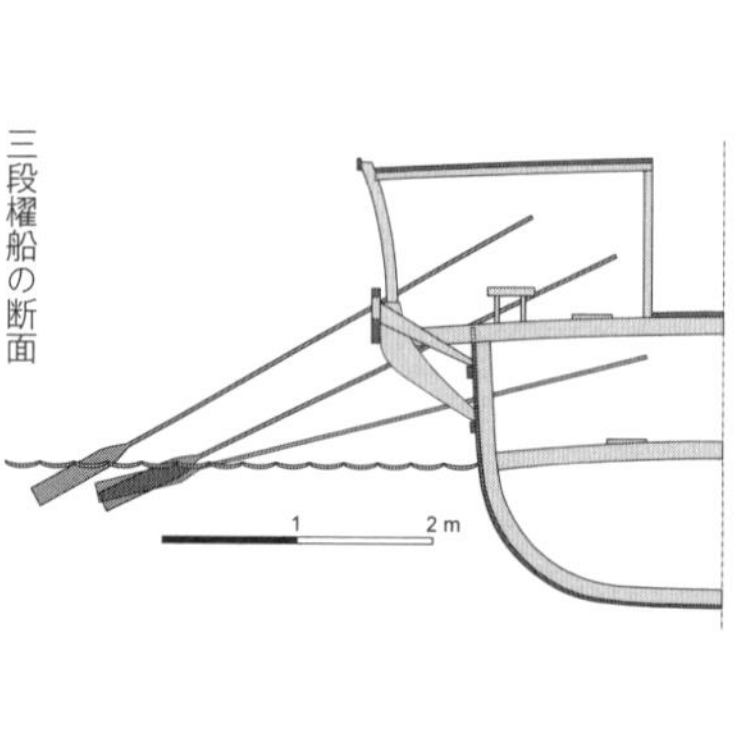

三段櫂船の断面

隻が待ちかまえる海峡《かいきょう》におびきだされました。テミストクレスの策略《さくりゃく》です。

当時の海戦は、へさきの堅《かた》い衝角《しょうかく》を敵の船とぶつけあい、穴を開けて沈没させるものでした。せまい海峡での戦いでは、すばやく動けるギリシア船が圧倒的に有利です。ギリシア艦隊の急襲《きゅうしゅう》をうけ、ペルシアの大艦隊★4は海峡で大混乱し、甚大《じんだい》な損害を出しました。

ペルシアはこの海戦につづいて、翌年のプラタイアの陸戦でも敗北。ペルシア戦争でのギリシアの勝利が確定しました。アテネでは、櫂船の漕ぎ手として重要な役割を果たした無産市民★5が発言力を強め、ペルシア戦争を経《へ》て、将軍ペリクレスの指導のもとで、アテネの民主政★6が完成したとされます。

Q4

ペロポネソス戦争

戦争の正確な記録が残されているのですか。

A プラタイアの戦いの後、ギリシアではペルシアの再侵攻にそなえてデロス同盟★1がむすばれました。デロス同盟の軍隊を指揮《しき》し、財政《ざいせい》を管理するのはすべてアテネ人で、アテネの勢力が拡大しました。一方スパルタはデロス同盟に参加せず、従来《じゅうらい》からのペロポネソス同盟★2をひきいたので、ギリシアでは両勢力が対立し、ペロポネソス戦争★3がおきました。戦争は二七年間にもわたり、ギリシアを二分した戦いが各地でおこなわれました。★4

★3　長さ約四〇メートル、幅五～六メートル。

★4　ペルシア軍は傭兵（契約で雇われた兵）が多く、海軍の主力はフェニキア人の艦隊。船はギリシアより大型で、遅かった。

★5　漕ぎ手は武器や装備がいらないので、貧しい市民も参戦可能になった。

★6　民会を中心とする直接民主政の担い手は成年男性市民で、奴隷や女性、在留外人には参政権はなかった。現在の民主主義とは異なる。

◆映画『300〈スリーハンドレッド〉』（二〇〇六年、ザック・スナイダー監督）前四八〇年、レオニダス王ひきいるスパルタ軍が、ペルシア軍に敗れ全滅したテルモピレーの戦いを描く。重装歩兵の上半身が裸など、娯楽性が強い。

★1　アテネを盟主に結成された同盟で、加盟ポリスは軍艦または資金を拠出する。同盟の金庫はデロス島からアテネに移され、同盟はアテネによる支配機構となった。

★2　ペルシア戦争以前にスパルタを盟主に結成された。規定されたのは共同の戦争遂行のみだった。

★3　前四三一～前四〇四年。

この戦争に将軍として参加し、正確な記録を『戦史（歴史）』として残したのが、歴史家トゥキディデスです。彼の正確な生没年《せいぼつねん》はわかりませんが、この戦争に兵士として参加した哲学者ソクラテス★5と同時代の人です。トゥキディデスは作戦指導の失敗からアテネを追放され、スパルタに滞在《たいざい》していたこともあり、このため両陣営《じんえい》を客観的に見ることができるようになったといわれます。トゥキディデスはヘロドトスの物語風の歴史に対し、より正確で客観的《きゃっかんてき》な記述を心がけました。このため彼は、科学的な歴史学の祖《そ》とも仰《あお》がれます。

戦争はアテネ優勢《ゆうせい》のうちに展開しましたが、アテネでペストが発生し、指導者ペリクレスも感染して死亡します。やがてスパルタが攻勢に出ると、デロス同盟を脱退《だったい》するポリスがあいつぎ、紀元前四〇四年にアテネは降伏《こうふく》しました。長い戦争で農村は荒廃《こうはい》し、市民も財産を失い、無産市民が増大します。奴隷の反乱も増えてポリスは衰退し、やがて全ギリシアはマケドニア★6に征服《せいふく》されていきます。

古代ギリシアの歴史は、ヘロドトスやトゥキディデスが残した文字の記録で知ることができますが、それが史実であるかどうかは検証《けんしょう》が必要です。

★4　戦いはギリシア全土、エーゲ海全域から西のシチリアにまでおよんだ。

トゥキディデスの胸像（複製）

★5　（前四六九ころ～前三九九年）

★6　ギリシア人の一派がギリシア北方に建国した王国。

Q5

アレクサンドロスの遠征《えんせい》

イッソスの戦いを描いた絵があるのですか。

A 紀元前三三四年、マケドニアの王アレクサンドロスは約三万の歩兵と五〇〇〇の騎兵をひきいて、東方遠征に出発しました。二〇〇年にわたるギリシアとペルシア帝国の対決に決着をつけるためです。★1 翌年シリア北方のイッソスで、アレクサンドロスはペルシアのダレイオス三世の大軍★2と、ピナロス川★3をはさんで対峙《たいじ》しました。

イタリアのナポリ考古学博物館には、イッソスの戦いを描いた大きなモザイク画★4があります。馬上のアレクサンドロスが右手の槍で兵の腹部をつらぬき、戦車に乗っ

イッソスの戦いのモザイク画（一部）。左端がアレクサンドロス

★1 父のマケドニア王フィリッポス二世のペルシア遠征という遺志をつぎ、ギリシア国内に増大していた不満をペルシア帝国征服による植民活動で解消し、東方の安全を確保するねらいがあった。

★2 兵力は総勢六〇万、または三〇万ともいわれ、なかには多数のギリシア人傭兵がいた。

★3 現在、付近にはいくつもの川が流れており、どの川なのかは判明しない。

★4 モザイク画のため、色が鮮明に残されている。イッソスの戦いを描いているというのが定説だが、アルベラ（ガウガメラ）の戦いだという説もある。

たダレイオス三世に肉迫《にくはく》するようすは、映画の場面のようにリアルです。このモザイク画は一九世紀、ナポリ近郊のポンペイ遺跡の貴族の邸宅《ていたく》から発掘されました。

マケドニア軍の強さは、この絵のように王みずからが先頭で戦い、兵士との連帯感があることでした。[★5] さらに、約六メートルの長い槍をもつ重装歩兵が、隊列を組み集団で戦うファランクス（密集方陣《ほうじん》）を中核に、剣と槍をもつ騎兵が連携《れんけい》して攻撃する戦法をとりました。[★6] イッソスでも、アレクサンドロスはファランクスをひきいてすばやく川をわたり、騎兵がダレイオス三世の本陣に突進《とっしん》しました。ダレイオス三世は逃亡《とうぼう》し、ペルシア軍は総くずれとなって敗走《はいそう》しました。

その後、紀元前三三一年、アレクサンドロスはティグリス川上流のアルベラ（ガウガメラ）で、ふたたびダレイオス三世と戦い、決定的な勝利をおさめます。[★7] ダレイオス三世はこのときも脱出しましたが、翌年部下に殺され、ペルシア帝国は滅亡しました。[★8]

★5　マケドニア軍には王と親密な関係のある直属の騎兵隊が存在した。

★6　ギリシアの戦法を発展させたものとされる。

★7　勝利したアレクサンドロスの軍はダレイオスの王宮のあるペルセポリスを占領、住民を殺戮、財宝などを略奪し、ペルセポリスは破壊された。

★8　ペルシアをほろぼしたアレクサンドロスは、ペルシア帝国の寛容で柔軟性のある統治体制を破壊せず、それを継承して支配をおこなったと評価される。

◆映画『アレキサンダー』（二〇〇四年、オリヴァー・ストーン監督）東方への遠征のなかで孤立し、三二歳で亡くなったマケドニア王アレクサンドロスの生涯を描く。ヨーロッパ人のアジア観が問題とされる。

ローマのコロッセオ（Ｑ２参照）

3 古代ローマの戦争

ローマはラテン人の都市国家としてはじまり、紀元前三世紀にはイタリア半島全域に支配をひろげました。そしてフェニキア人のカルタゴと三度の戦争をおこない、カルタゴをほろぼして西地中海の支配権をにぎりました。その後もローマは戦争をかさねて勢力を拡大し、地中海を中心とする大帝国を築《きず》きました。

Q1 ポエニ戦争

戦争に象が使われたのですか。

A カルタゴ[★1]とローマの第二回ポエニ戦争[★2]は、紀元前二一八年にはじまりました。このときスペインを出発したカルタゴの将軍ハンニバルは、南フランスからアルプスを越《こ》え、陸路《りくろ》北からローマをめざします。兵力は約五万、そして五〇頭の戦象《せんぞう》[★3]がいました。

戦象は戦闘用に調教《ちょうきょう》された象です。カルタゴ軍の象はインド象より小ぶりで、人が一人乗れる程度、御者《ぎょしゃ》が弓や槍をもち戦闘員を兼《か》ねていました。象

★1　現在のチュニジアにあたる北アフリカを拠点とし、地中海交易で栄えたフェニキア人の都市国家。西地中海に勢力を拡大しようとするローマと対立した。

★2　ローマ人はフェニキア人やカルタゴをポエニとよんだ。三回の戦争はすべてローマが勝利、第一回の戦争ではシチリアを獲得し、属州とした。最大の戦争は第二回で、ハンニバル戦争ともよばれる。

はあつかいがむずかしく食費がかかりましたが、姿やほえ声、においだけで馬も兵士も恐《おそ》れおののきました。象は薬物や酒で興奮《こうふん》させられ、突進して敵をふみつぶし、鼻や牙《きば》で兵士をたおします。ハンニバルのアルプス越えは雪で困難《こんなん》をきわめ、敵の攻撃もあり、ふもとにたどりついたときには歩兵二万、騎兵六〇〇〇、象は八頭に減っていました。

それでもハンニバルは傭兵《ようへい》★4をまとめ、たくみな戦法でローマ軍を撃破《げきは》し、イタリア半島を南下します。紀元前二一六年、カンネーで八万のローマ軍と五万のカルタゴ軍の決戦がおこなわれました。大軍のローマ軍は歩兵を隊列に組み、前進します。カルタゴ軍は後退しましたが、それはローマ軍を引き込んで両翼《りょうよく》から騎兵がおそい、三方から包囲《ほうい》する作戦でした。この結果、ローマ軍は五万の死傷者と多くの捕虜《ほりょ》を出しました。

しかしハンニバルは、ローマから決定的な勝利を得ることはできませんでした。ローマ軍は反撃し、北アフリカに上陸してカルタゴにせまります。ハンニバルは一五年間戦ったイタリアを離《はな》れて帰国。紀元前二〇二年、カルタゴの首都近くのザマで、ローマ軍は騎兵をうまく使うハンニバルの戦法をまねて、勝利しました。敗北したカルタゴはすべての海外領土を失い、船と象をローマにわたし、多額の賠償金《ばいしょうきん》を支払うことになりました。

ポエニ戦争とローマ

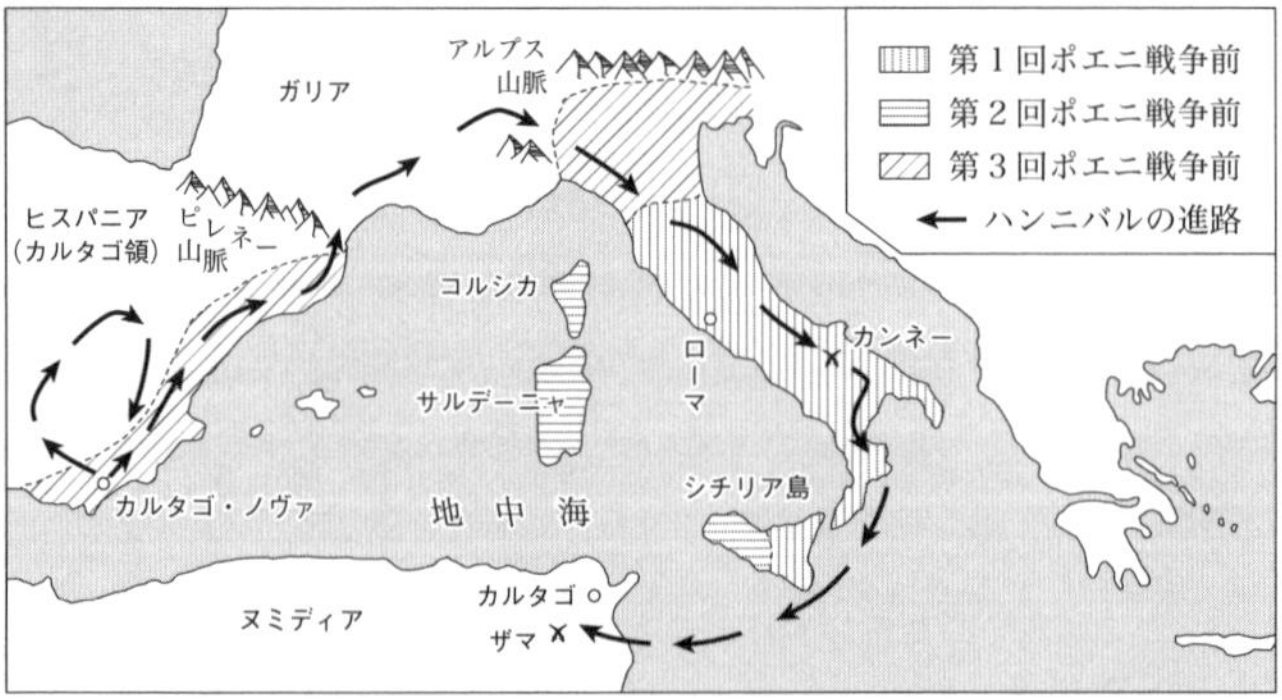

★3　象の家畜化はインド周辺で古くからあり、戦象は前五世紀ころに登場。ギリシアなどを介して地中海世界にひろまり、ムガル帝国、中国、タイでも使われた。

★4　カルタゴは商業国家で、さまざまな民族の兵士を雇って戦った。

Q2

スパルタクスの乱

奴隷軍がローマ軍をやぶったのですか。

A

ローマは帝国内の各地に、巨大な闘技場《とうぎじょう》を建設しました。そこでは剣《けん》闘士《とうし》奴隷《どれい》による命がけの試合が、市民に娯楽《ごらく》★1として提供されました。それは皇帝などの有力者が市民を楽しませ、彼らの支持を得るためでした。

紀元前七三年春、南イタリアのカプアの剣闘士奴隷の養成所《ようせいじょ》から、スパルタクス★2を指導者とする奴隷たち約七〇人が、自由を求めて逃亡しました。戦いのプロである彼らは、駆《か》けつけたローマ軍をつぎつぎとやぶり、武器や食料を手に入れます。そして大農園をおそって奴隷を解放し、貧農《ひんのう》や逃亡兵もくわわった奴隷軍は、半島南のトゥーリーに到着したときは、七万もの軍となっていました。

翌年、奴隷軍★3はアルプスをめざし、一二〇〇キロの長い旅に出ます。ローマ攻撃を求める声もありましたが、アルプスを越えてそれぞれの故国《ここく》★4へ帰り、自由になることを選んだのです。

苦しい行軍《こうぐん》がつづき、彼らがアルプスの

スパルタクスの乱関係図

★1　市民に「パン（食料）とサーカス（さまざまな見世物）」を無料で提供して支持を集め、同時に政治への関心をそらした。

★2　トラキア（バルカン半島東部、現ブルガリア）出身の奴隷で、剣闘士養成所に入れられていた。

★3　北上の最盛期には一二万～二〇万人といわれる。

★4　反乱にくわわった奴隷は、トラキアやガリア（フランス）の捕虜が多かった。

ふもとに到着したときには、すでに山越えはできない季節でした。このため奴隷軍は南下を決め★5、海賊の力を借《か》りて海路《かいろ》イタリアを脱出することにしました。奴隷軍はローマ軍をやぶりつづけましたが、紀元前七一年には半島の南端カラブリアで包囲され、クラッススひきいるローマ軍との決戦となりました。

決戦の場所はいまだ特定されていませんが、長時間の激戦で奴隷軍は敗北。おびただしい数の死体が残され、スパルタクスも戦死、その遺体は見つかっていません。捕虜六〇〇〇人は見せしめのため、アッピア街道《かいどう》沿《ぞ》いに十字架で磔《はりつけ》にされました。古代ローマの政治家キケロは、この蜂起《ほうき》を「大イタリア戦争」とよんで否定的に記しました。他方で後世には、スパルタクスの乱を奴隷が解放を求めた戦いとして高く評価する人もいます。

Q3

ガリア遠征

ローマ軍はどのように包囲戦をおこなったのですか。

A ガリアは現在のフランスとベルギーにあたる地方です。紀元前五八年、ローマの軍人で政治家でもあるユリウス・カエサル★1は、ガリアの総督《そうとく》になりました。彼はガリア人（ケルト人★2やゲルマン人★3）を征服し、八年間に莫大《ばくだい》な富《とみ》をたくわえました。ローマ人の征服者にとって、属州《ぞくしゅう》★4は財力をやし

★5　南下した理由には、降雪期をひかえてアルプス越えの困難、北イタリアには自由農民が多く食料提供しないなど奴隷軍への非協力、ローマへの攻撃、奴隷軍内の不一致、参加しているイタリア出身の自由農民にとってアルプス越えは目的にならないなどがあげられている。

◆映画『スパルタカス』（一九六〇年、スタンリー・キューブリック監督）主演カーク・ダグラス。スパルタクスの奴隷時代から剣闘士奴隷養成所での生活、蜂起から死までを描く。

◆映画『グラディエーター』（二〇〇〇年、リドリー・スコット監督）主演ラッセル・クロウ。帝政ローマ時代を背景に、将軍から剣闘士奴隷となった人物の数奇な運命を描く。創作部分は論議をよんだ。

★1　英語ではジュリアス・シーザー。のちに暗殺された。著書『ガリア戦記』は名著とされる。

★2　ローマ人の侵入以前、ヨーロッパにひろく居住したが、ローマ人、ゲルマン人の侵入で征服された。現在は周辺地域に独特の言語や文化が残る。

なうところだったのです。カエサルの軍には、のこぎりやつるはしなどの工具をもつ兵士もいて、行軍のために道路や橋、宿泊用の陣営を建設し、戦闘でも活躍しました。

紀元前五二年のアウァリクム（現在のブールジュ）包囲戦は、ガリア人がカエサルに反乱をおこし、城壁のなかにたてこもった戦いです。ローマ軍は高い攻城塔《こうじょうとう》（移動式の櫓《やぐら》）や破城槌《はじょうつち》★5、大型の投石《とうせき》機などを使って攻撃しました。大型のものは現地で組み立て、小型のものは馬や荷車《にぐるま》などで運びました。ガリア人は何度か城外へ打って出たり、地下坑道《こうどう》を掘《ほ》ったりしましたが、失敗します。

ローマ軍は城壁にむかって攻城塔を前進させる土手をつくり、城壁を乗り越え、総攻撃をおこないました。ローマ軍の強さの背景には、高度な土木技術があったのです。城内にいた約四万人のうち、生き残ったのはわずか八〇〇人といわれます。

ローマ軍とガリア人の最後の決戦となるアレシア★6の戦いも、包囲戦でした。ローマ軍は長さ二〇キロもの壕《ごう》と土手、柵《さく》を短期間でつくり、町を封鎖《ふうさ》。このためガリアの援軍《えんぐん》もこの封鎖線を突破できず、指導者のウェルキンゲトリクスは降伏しました。彼は処刑されましたが、現在のフランスでは国民的英雄としてたたえられています。

★3　バルト海沿岸を原住地として拡大し、前一世紀にはローマと境を接することになった。

★4　イタリア半島以外にあるローマの支配地。

★5　先端に金属を取りつけた丸太で、城壁を破壊する大型の兵器。上からの攻撃を防ぐ屋根がつけられた。

カエサルのガリア制覇の道筋

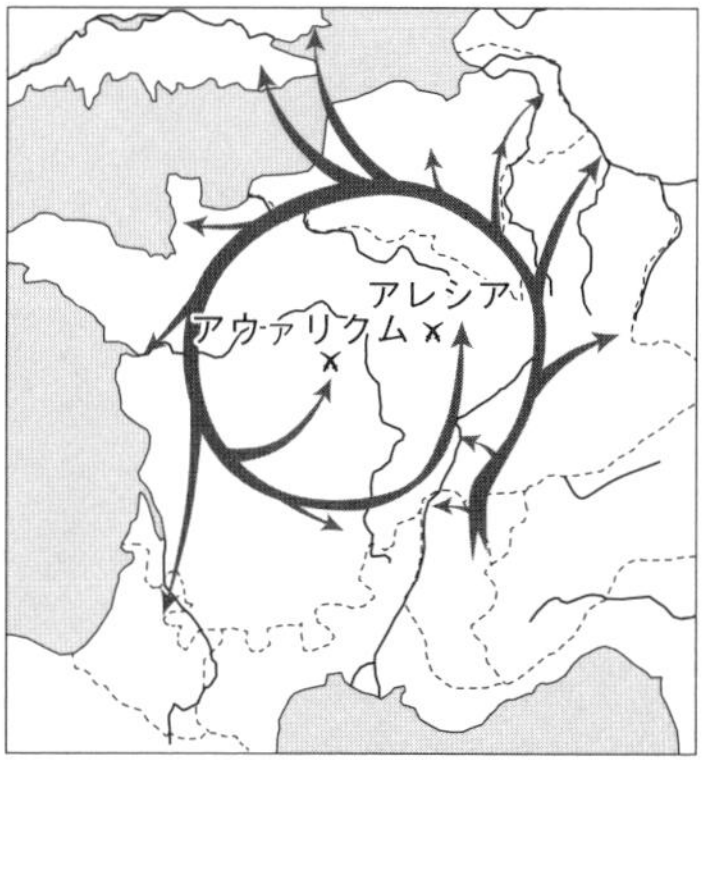

★6　アレシアは東フランスの二本の川にはさまれた丘の上につくられた要害の都市。場所は現在のアリーズ・サント・レーヌといわれるが、疑問も出されている。

Q4

ブリテン島の戦い

「ハドリアヌスの防壁」はなぜつくられたのですか。

A ブリテン島とローマの出合いは、紀元前五五年（翌年も）、ガリアからのユリウス・カエサルの上陸によるものでしたが、彼の占領は長つづきしませんでした。約一世紀後の四三年、ローマ皇帝クラウディス★1が四万の大軍をひきいてブリテン島を占領します。しかしこのときの支配は、スコットランドにはおよびませんでした。

当時ブリテン島にはケルト系のブリトン人とよばれる人びとが居住《きょじゅう》し、約三〇の部族に分かれて、丘の上に砦《とりで》をかまえていました。ローマの属州になれば繁栄《はんえい》するからと、従《したが》う部族もありましたが、抵抗する部族もありました。六〇年には、東南部を支配していたイケニ族のブーディカ女王★2が武装蜂起。ローマの軍団をやぶり、ロンディニウム（ロンドン★3）を破壊するほどでしたが、最後には鎮圧《ちんあつ》されました。

その後ローマは北からのケルト系諸族《しょぞく》の侵入を防ぐため、イングランドとスコットランドの境界線の近くに、「ハドリアヌスの防壁」を建設しました。ローマ帝国最北端の防衛線です。ブリテン島を訪れたローマ皇帝ハドリアヌスが命令し、一二二年から一〇年がかりで建設されました。長さはイングランド東部のニューカッスル・アポン・タインから西部のカーライルまで、約

★1　ローマ帝国第四代皇帝、在位四一～五四年。統治実績をあげるが、四人目の妻アグリッピナの連れ子ネロの即位をめぐって妻に毒殺されたといわれる。

★2　「勝利」を意味する名で、日本語ではボウディッカ、ボアディケアなどともあらわされる。ロンドンのウェストミンスター・ブリッジの近くに、馬がひく戦車に乗ったブーディカ女王と娘たちのブロンズ像がある。

ハドリアヌスの防壁

一二〇キロメートルもあります。

壁は堅固な石づくりで、高さ最大六メートル、厚さ約三メートル、スケールは小さいですが中国の「万里の長城」を思わせます。約一・四キロごとに監視所《かんしじょ》がおかれ、要衝《ようしょう》には五〇〇人から一〇〇〇人の兵士がいる大規模な砦★4がおかれました。駐屯《ちゅうとん》した兵士はゲルマン人など属州の出身で、合計一万人以上とされます。兵士は生きながらえて無事に二五年間つとめると、ローマの市民権が得られました。

古代のブリテン島

Q5

カタラウヌムの戦い

アッティラはガリアでローマに敗れたのですか。

A アッティラは五世紀の半《なか》ばころにフン人★1を統合《とうごう》した王で、現在のハンガリーにあたるパンノニア平原を拠点《きょてん》に、現在のロシアからドイツにまたがる大帝国を築きました。しかしフン人についてもアッティラについても、くわしいことはわかりません。

四五一年、アッティラは五〇万の兵をひきいてガリアに侵攻《しんこう》したともいわれ★2ますが、この数字は明らかに誇大な数字とされます★3。騎馬遊牧民《きばゆうぼくみん》のフン人

★3 ローマ時代の城壁の一部が残されている。

★4 防壁はかなりくずされたが、二〇世紀に本格的な発掘が開始された。砦には兵舎や病院、ローマ式浴場などの施設が完備され、兵士の手紙、食器やグラス、靴やサンダルなどから、当時の生活の様子が明らかになった。

★1 四世紀末~五世紀に、内陸アジアからヨーロッパへ西進した騎馬遊牧民。ゲルマン諸民族がローマ帝国領内へ移動するきっかけとなった。

★2 西ゴート王国攻撃を意図したアッティラは西ローマ帝国と同盟をむすんだ。しかし西ローマ皇帝ヴァレンティニアヌス三世の姉ホノリアからの「求婚」をめぐり皇帝と対立、これを口実にガリアに攻め込んだ。

の軍隊の中心は、騎馬弓兵《きゅうへい》でした。アッティラ軍は服属民《ふくぞくみん》もくわえた混成《こんせい》軍《ぐん》で、装備や戦闘法もいろいろだったようです。都市攻略戦もおこなうアッティラ軍は歩兵も多く、その多くはゲルマン人でした。オルレアン攻囲戦ののち、フランス北東部のカタラウヌムで、アッティラと西ローマ帝国軍★4の戦いがおこなわれました。戦場がどこだったか特定はできませんが、オルレアンの北東、現在のトロア市西方の平原と見られます。

西ローマ帝国の将軍アエティウスは、アッティラから圧迫《あっぱく》されていた西ゴート人★5などのゲルマン人と連合軍を組んでいました。アエティウスは騎馬戦に有利な平原を避《さ》け、丘の上に陣取ります。戦いはアッティラ軍が丘をのぼり、これに西ゴート人の騎馬隊が突進してはじまりました。死傷者は一六万五〇〇〇〜三〇万人とされる激戦でした。これも多すぎる数字ですが、かなりの死者が出たことはまちがいありません★6。西ゴートは王が戦死するなど奮《ふん》戦《せん》し、アッティラはパンノニア平原に撤退《てったい》しました。

翌四五二年、アッティラはイタリア半島に侵攻し、ミラノやアクイレイア★7などの都市を占領します。ガリアでは西ローマ帝国の力が弱まり、フランク人★8が勢力をもつようになりました。

★3　武装可能な自由民の動員は一〇万〜一五万人ともいわれる。

アッティラ

★4　ローマ帝国は三九五年に東西に分裂し、西ローマ帝国は四七六年に滅亡する。

★5　ドナウ川下流域に定住していた東ゲルマン人の一派で、彼らがフン人におされてローマ帝国領内に移動し、民族大移動のきっかけとなった。

★6　六世紀の聖職者ヨルダネスの『ゴート人の起源と事績について（ゴート史）』に戦いの記録が見られる。この著作は貴重な情報を提供しているが、ゴート人の立場の記録であり、批判もある。実際の参戦は両軍合わせて五万人、死者は一万人ともいわれる。

★7　アクイレイアは破壊され、アドリア海の潟に逃れた人びとが建設した町が、ヴェネツィアの起源となった。

★8　ゲルマン人の一派で、カタラウヌムの戦いに参加。四八一年にはクローヴィスが全フランク人を統一し、フランク王国が成立した。

等身大の兵馬俑（Ｑ２参照）

4 古代アジアの戦争

アジアでも、古代から多くの戦争がおこなわれてきました。インドや中国の統一国家の形成の過程《かてい》では、必ずいくつもの戦争がありました。そして統一国家が成立すると、さらなる領土の拡大をめざして、周辺地域への遠征がおこなわれました。

Q1 カリンガ戦争

インドのアショーカ王が大殺戮《だいさつりく》戦争をしたのですか。

A

アショーカ王は、紀元前三世紀インドのマウリヤ朝★1第三代の王で、仏教を保護した王として有名です。彼はガンジス川流域を中心に、高さが一二メートルもある石柱碑《せきちゅうひ》★2を約三〇本も建てました。この石柱碑の所在地から、王朝の広い支配領域《りょういき》がわかります。しかしアショーカ王については、その石柱や摩崖《まがい》の刻文★3と仏教関係の書物★4からわずかに知ることができるだけで、多くは史実かどうかも確認できません。

伝承《でんしょう》によると、アショーカ王は暴虐《ぼうぎゃく》な人物だったとされています。しかし

★1　マガダ国の王朝で、前三一七年ころインド最初の統一国家を築いた。
★2　王の命令などを刻んだ石柱。
★3　みがいた岩壁に王の命令などを刻んで布告したもの。
★4　『阿育王伝』などサンスクリット語文献から漢訳された北方伝承と、パーリ語で書かれたスリランカの史書『島史』などの南方伝承がある。阿育王はアショーカ王の中国名である。

これは、仏教徒となる前の王と後の王とを比較し、強調するためといわれます。王はマウリヤ朝の領土拡大路線を引きついで、ベンガル湾に面した強国カリンガ国に遠征しました。しかし抵抗が激しく、戦いは凄《せい》惨《さん》でした。カリンガ国側は一五万人が捕虜となり、一〇万人が殺されるなど戦禍《せんか》で多くの人が死亡、一方アショーカ王の側にもかなりの犠牲者が出たようです。

この戦争の後、アショーカ王は戦争のむごたらしさを反省し、武力ではなくダルマ★5（法や倫理《りんり》）による政治の実現を決意します。アショーカ王が仏教に帰依《きえ》したとされる★6のは、不殺生《ふせっしょう》と正しい人間関係が強調され、そこに仏教の影響が指摘されるためです。

カリンガ国征服後、インドには抵抗する勢力はなくなりました。王は今後どのようにして支配を維持《いじ》するか、考えたことでしょう。一方仏教の側は、暴虐な王が心をあらため仏教を保護したという、劇的《げきてき》な物語を創作していったと考えられます。

アショーカ石柱

★5　刻文に見られるダルマとは、統治についての考え方で、ブッダの説いた法（ダルマ：真理・教え）とは異なる。王はダルマという言葉で、人間の生き方、いさかいのない社会、心の平安の大切さを強調したと見られる。

★6　カリンガ戦争後ほどなく仏教に帰依した王は教団をしばしば訪れ、各地に仏塔を建立し、仏教ゆかりの地を訪れたとされる。

Q2 始皇帝《しこうてい》の戦い

秦《しん》の軍隊を見ることができるのですか。

A 紀元前二二一年、秦王の政《せい》、のちの始皇帝★1は、武力によってはじめて中国を統一したとされます。その軍事力の強大さは二二〇〇年の時を経《へ》た今、兵馬俑坑《へいばようこう》遺跡で確認することができます。

遺跡の発見は一九七四年、中国の古都西安《せいあん》の東で、農民が井戸掘りの最中に不思議な「人形」★2を掘り出したことがきっかけでした。しかし、これが近くにある始皇帝陵《りょう》★3に関連する遺跡と確認されたのは、少しのちのことです。

調査の結果、約二万平方メートルの中に三つの坑《こう》が確認され、約八〇〇〇体の陶製《とうせい》の兵士や車馬《しゃば》★4が埋められていました。これらは一九七九年に「秦始皇兵馬俑博物館」★5として一般公開され、地下軍団は当時の秦の軍団をそのまま再現したものと考えられています。最前列には鎧《よろい》もかぶともない軽装の精《せい》鋭《えい》、その後方には軍団の本隊が並び、馬もいます。馬の後方には空間がありますが、これはもともとあった木製の戦車が朽《く》ち果てたからです。主力の歩兵部隊は鎧はつけていますが、かぶとはありません。武器は実際に使われる青銅製の剣や矛《ほこ》、矢じりなどで、数万点見つかっています（鉄製はわずか）。

地下に整然《せいぜん》と並ぶ兵士の像は等身大で、平均身長一メートル八〇センチ、服装もさまざまです。一体ごとに顔立ちが異なり、出身地や民族がわかると

★1 全国を統一した秦王・政は、従来の王がなしえなかった偉業をなしとげたとして「皇帝」という称号を考え、「最初の」皇帝、すなわち「始」皇帝となった。

★2 古代中国では春秋戦国時代に、王などの墓に供（とも）として従者が葬られることがすたれ、かわりに副葬された陶製の像を俑（よう）という。

★3 司馬遷の『史記』には始皇帝陵の地下宮殿についての記述はあるが、兵馬俑についてはまったく記載がない。なお、始皇帝陵の発掘は現在おこなわれていない。

★4 馬は六〇〇、戦車は百余台とされる。秦代には馬の鞍（くら）はあったが鐙（あぶみ）はなく、騎乗者は足と体で安定を保持した。

★5 最大の一号坑は一九七六年から保護のための巨大なドームが建設された。現在見学できるのは発掘、修復が終わっている部分だけである。

いわれます。北方の遊牧騎馬民族匈奴《きょうど》や西アジア系と推定される兵士もおり、秦軍の多様性を知ることができます。

二号坑★6は「弩《ど》」とよばれる石弓《いしゆみ》★7の射撃兵の部隊、騎兵部隊、四頭立て戦車と歩兵、戦車部隊の四ブロックに分かれています。騎兵は馬に乗るのに便利な丈《たけ》の短い上衣、細いズボンで、靴をはいています。馬は去勢《きょせい》され、たてがみは刈《か》りそろえられて、騎馬遊牧民族の影響が見られます。秦は強力な弓と戦車、馬上から弓を射《い》る戦法で、周辺諸国を圧倒しました。

★6　二号坑は一九七六年から試掘がおこなわれ、本格的な発掘は一九九四年からである。二号坑では彩色が残る兵士俑も見つかり、兵馬俑は建設当時は鮮やかに彩色されていたことがわかる。

★7　ばね仕掛けで大矢を発射する大弓。

Q3 中国最初の農民反乱なのですか。

陳勝《ちんしょう》・呉広《ごこう》の乱

A 始皇帝が死んだ翌年、紀元前二〇九年に大規模な反乱がおこりました。その中心人物は日雇《ひやと》い農民だった陳勝《ちんしょう》★1、彼を助けたのが呉広《ごこう》だったので「陳勝・呉広の乱」とよばれます。始皇帝がすすめた万里の長城や宮殿の阿房宮《あぼうきゅう》、墓である驪山陵《りざんりょう》の建設には多くの人が動員され、秦の厳しい法律やきまりにたいする人びとの不満も増大していました。

陳勝と呉広は、地方の守備隊の兵士に徴兵《ちょうへい》され、総

万里の長城（明代のもの）

★1　『史記』には、雇われ農民陳勝の「燕雀（えんじゃく）いずくんぞ鴻鵠（こうこく）の志（こころざし）をしらんや」（つまらない人間には大志が理解できないという意味）という言葉があるが、創作とも指摘される。

勢九〇〇人の仲間と目的地に向かっていました。ところが大雨のため、期日までに集結できなくなりました。秦の法律では、間に合わなければ死刑です。追いつめられた二人★2は反乱を決意し、監督官を殺して全員を集めました。

「間に合わなければ死刑になる。仮にそうでなくても軍役《ぐんえき》で一〇人中六、七人は死ぬ。どうせ死ぬなら、名をあげて死のうではないか」、そして「王《おう》侯将相《こうしょうしょう》いずくんぞ種《しゅ》あらんや（王侯になるのに血すじは関係ない、実力や才能だ）」とよびかけたといわれます。

彼らには武器らしい武器もありませんでしたが、反乱はたちまち数万の大軍となり、中国史上はじめて、農民が権力に反旗《はんき》をひるがえすことになりました。かつての楚《そ》★3の都に入った陳勝は、「張楚《ちょうそ》」という国号を名乗って王位につき、各地で秦に反旗をひるがえす反乱がおこりました。しかし農民軍は統制《とうせい》がとれず、陳勝と呉広は部下に殺害されます。そして、この乱をきっかけに挙兵《きょへい》し、項羽《こうう》★4をたおして漢を建国したのが、農民出身の劉邦《りゅうほう》でした。

★2 『史記』には、彼らが「陳勝が王になる」と書いた絹を魚の腹に入れたり、夜にキツネの鳴き声をまねて「陳勝が王になる」と叫んだという逸話があるが、これにも疑問がある。

★3 戦国時代の七雄の一つで、長江中流域を中心に広大な領土をもち、前二二三年に秦にほろぼされた。

★4 楚の将軍の家柄の出身で秦の武将。おじとともに挙兵して秦と戦い、劉邦に敗れた。

Q4

白登山《はくとさん》の戦い

漢が匈奴《きょうど》に贈り物をすることになったのですか。

A モンゴル高原を中心とする地域は、古くからさまざまな遊牧民が活動していました。匈奴《きょうど》★1はそうした遊牧民のひとつで、紀元前三世紀末の秦が成立したころに、匈奴の単于《ぜんう》（王）が遊牧民をまとめて大勢力となりました。騎馬遊牧民である匈奴は、馬で駆けまわり弓を使い、農耕民の漢民族を攻撃します。秦は匈奴にそなえて、万里の長城★2を修築《しゅうちく》しました。

その秦がたおれ、劉邦（漢の高祖《こうそ》）によって漢王朝が成立したころ、匈奴をひきいたのは冒頓単于《ぼくとつぜんう》でした。「冒頓」とは「勇者」を意味する言葉を、漢字であらわしたものといわれます。冒頓は他の遊牧民をまとめ、強大な国家をつくりました。匈奴と漢、二つの強大な武力をもつ国が、万里の長城をはさんで競《きそ》いあうことになったのです。

前二〇〇年、漢の北方国境地域での混乱に乗《じょう》じて、冒頓は騎兵四〇万をひきいて南下します。漢の高祖はみずから三二万の軍をひきいて迎《むか》え撃《う》ちますが、冒頓単于の計略《けいりゃく》によって匈奴軍に包囲され、高祖と漢の兵士は平城（現在の山西省大同）郊外《こうがい》の白登山《はくとさん》で七日間、食料不足と寒さに苦しめられました。匈奴の騎馬軍団が、戦車と歩兵の漢軍を圧倒したのです。このとき、高祖は冒頓単于の妻に贈り物を届け、脱出できたといわれます。

のちに講和《こうわ》がむすばれ、漢は匈奴に毎年贈り物をすることになりました。それは決まった量の絹《きぬ》や穀物《こくもつ》などだけでなく、匈奴の単于の側室《そくしつ》として、漢の皇帝一族の女性をさしだす約束でした。こうした匈奴と漢の関係が変わるのは、七〇年以上のちの武帝《ぶてい》★3の時代になってのことです。

★1　匈奴に文字はなく、匈奴の言葉は漢字音表記された。匈奴の匈は凶に通じるという説があり、奴は奴隷とつながり、言葉の背景には異民族にたいする差別意識が指摘される。

平城付近の地図

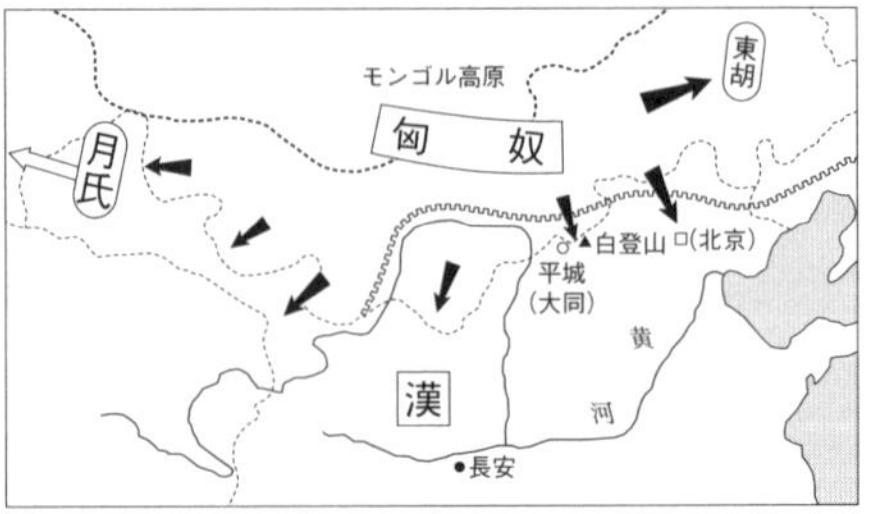

★2　現在、目にする万里の長城は主に明代のもので、秦は戦国時代の各国の長城をつなげて、万里の長城を建設した。長城は単に遊牧民の侵入を防ぐためでなく、農民の逃亡を防いだり、民衆の往来を制限する国境線の役割など、さまざまな意味をもって建設されたと指摘される。

★3　武帝は前一四〇年に即位、匈奴に対抗するために大月氏国と軍事同盟をむすぼうと張騫（ちょうけん）を派遣した。前一二九年、漢の軍隊ははじめて長城を越えて匈奴を攻撃した。

Q5

高句麗《こうくり》の戦い

隋《ずい》の遠征が三回もおこなわれたのですか。

A 高句麗《こうくり》は朝鮮半島北部から中国東北地方を支配した王国で、四世紀から六世紀にかけて最盛期《さいせいき》を迎えました。六世紀末に中国を統一した隋《ずい》★1は、高句麗を北方の騎馬遊牧民である突厥《とっけつ》★2と協力させないために、高句麗遠征をおこないます。しかし初代文帝《ぶんてい》の遠征は、準備不足と高句麗の抵抗によって失敗し、本格的な遠征は次の皇帝煬帝《ようだい》のときでした。

煬帝は中国の南と北をむすぶ大運河《うんが》の建設をすすめ、これにより遠征のための兵士や食料を、南からも運べるようになりました。六一二年、万全の準備をととのえた煬帝は、みずから大軍をひきいて高句麗遠征にでます。兵士が一〇〇万余、物資を運ぶ人夫もくわえると二〇〇万人、全軍が出発し終わるのに四〇日もかかったといわれます。

高句麗の将軍乙支文徳《ウルチムンドク》は、住民に食料などをすべてもたせて山に避難させ、敵に物をわたさない作戦をとりました。遼河《りょうが》をわたった隋軍は遼東城《りょうとうじょう》を包囲しますが、陥落《かんらく》しません。隋軍は食料不足で厭戦《えんせん》気分がひろがるなか、都の平壌《ピョンヤン》を攻撃します。しかし高句麗側のたくみな作戦にあい失敗、清川江《チョンチョンガン》の戦い★3で大敗します。高麗《こうらい》の歴史書『三国史記』★4には「遼東城を出たときは三〇万、帰り着いた者わずか二七〇〇人」と記されています。

★1 五八一年に建国され、南朝の陳（ちん）をたおし、南北に分裂していた中国を統一した。

★2 六～八世紀にモンゴル高原から中央アジアにかけて支配したトルコ系騎馬遊牧民。五八三年に内紛と隋の離間策によって、東西に分裂した。

★3 乙支文徳は偽りの降伏を申し出、撤退しようとした隋軍に攻撃をくわえて勝利した。清川江の戦いは、韓国・朝鮮では「薩水大捷（さっすいだいしょう）」ともよばれる。

★4 高麗は九一八～一三九二年に成立した朝鮮の王朝。『三国史記』は朝鮮に現存する最古の歴史書で、中国の史書も引用して新羅・百済・高句麗の歴史を叙述している。

煬帝

煬帝は翌六一三年に再遠征をおこないますが、遼東城の高句麗軍の抵抗が激しいなか、隋で軍事徴発《ちょうはつ》を担当していた楊玄感《ようげんかん》★5が反乱をおこしました。反乱は鎮圧《ちんあつ》されましたが、運河建設や度重《たびかさ》なる遠征に対する不満は、農民だけでなく、商人や地方豪族《ごうぞく》にもひろがっていたのです。翌年、隋は三回目の遠征をおこないますが、すでに各地で反乱が続発していました。六一八年、国力を消耗《しょうもう》した隋は、唐★6によってほろぼされました。

★5　隋の官僚で、農民反乱に乗じて挙兵した。

★6　六四四年、唐の太宗（たいそう）も二〇万の大軍をひきいて高句麗を攻撃するが、失敗した。

メッカのカーバ神殿（Q１参照）

5 七〜八世紀の戦争

七世紀に誕生したイスラーム教は急速にひろまり、イスラームの大帝国が生まれました。イスラーム教徒はヨーロッパにまで攻め込みます。西ヨーロッパでは西ローマ帝国の滅亡後、ゲルマン人のフランク王国が台頭《たいとう》し、八〇〇年のカールの戴冠《たいかん》は「西ローマ帝国」の復活とされました。中国では唐《とう》が成立しますが、八世紀にはその支配が大きくゆらいでいきます。

Q1 イスラームのジハード 「コーランか剣か」は本当なのですか。

A イスラーム教徒による勢力拡大の戦いをジハード★1（聖戦《せいせん》）とよび、彼らは異教徒に「コーランか剣か」（「改宗するか、殺されるか、選べ」）と荒々《あらあら》しく選択をせまったとされます。実際はどうだったのでしょうか。

六二二年★2、イスラーム教の開祖《かいそ》ムハンマドは迫害《はくがい》★3をうけ、アラビア半島西側の都市メッカを離れ、北のメディナに移住しました。彼はそこでウンマ

★1 ジハードに戦闘の意味はなく、努力などを意味する。
★2 イスラーム教ではヒジュラ（聖遷）とよぶ。イスラーム暦の紀元とされる。
★3 厳格な一神教をとなえ、社会の平等化を主張したため、メッカの富裕層から迫害された。

（イスラーム教徒の共同体）の基礎を固め、メッカ征服の軍をおこします。これがジハードの始まりで、剣をとってウンマをひろげることは、イスラーム教徒の義務となりました。

シリア、イラク、エジプトなどが征服されたのは、第二代カリフのウマル★4の時代です。シリア★5では六三六年、ハーリド★6がひきいるイスラーム軍とビザンツ帝国★7のあいだで、ヤルムーク川の戦いがおこなわれました。ビザンツ帝国軍約一〇万は大半が傭兵《ようへい》です。イスラーム軍は高台に陣どり、一万五〇〇〇の兵で待ちうけます。激戦となり、川を背にしたビザンツ軍はイスラーム軍の猛攻《もうこう》で、峡谷《きょうこく》に追い落とされ、逃げる兵は騎馬隊に追撃《ついげき》されました。ビザンツ側の戦死者は五万人、イスラーム側は三〇〇〇人といわれます。この後シリアのイスラーム化は一気にすすみました。

シリアは古くから海陸交通の十字路として、重要な地でした。戦争の背景には、商業路と肥沃《ひよく》な土地を求める経済的なねらいがありました。征服された異教徒は、イスラーム教への改宗を勧《すす》められましたが、拒否もできました。税さえ納めれば、生命・財産・信仰は保障されたのです。なかでもユダヤ教徒やキリスト教徒は「啓典《けいてん》の民《たみ》」★8とよばれ、寛大《かんだい》なあつかいをうけました。イスラーム世界はこうした柔軟《じゅうなん》な支配によって、拡大していきました。

★4　ムハンマドの死後のウンマの指導者。「代理人・後継者」を意味する。
★5　地中海東岸地方のシリアは、ビザンツ帝国の支配下にあった。
★6　ムハンマドがその活躍を「アッラーの剣」とほめたたえたとされる。
★7　三九五年にローマ帝国は東西に分裂。西ローマ帝国滅亡後も繁栄した東ローマ帝国の別名。
★8　啓典とは「神の言葉」。ユダヤ教の旧約聖書、キリスト教の新約聖書を、イスラーム教ではコーランと同じ神の言葉の聖典とする。

イスラーム勢力の拡大

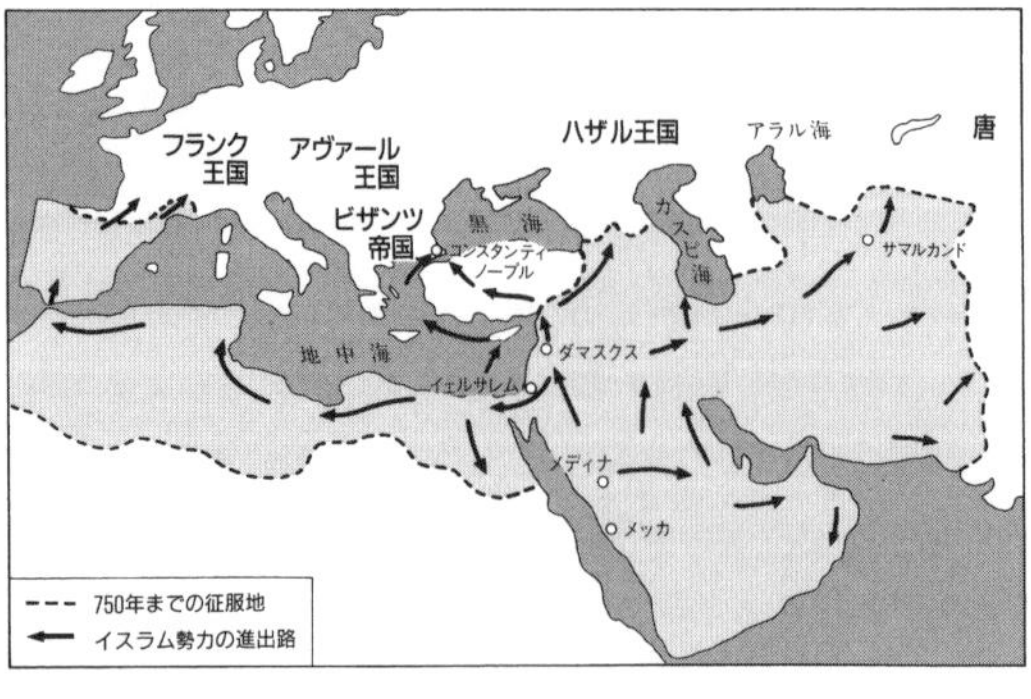

Q2

トゥール・ポアティエ間の戦い

イベリア半島はイスラーム勢力に支配されたのですか。

A 七一一年四月、ターリク将軍★1ひきいるイスラーム軍七〇〇〇が、北アフリカからヨーロッパ側のイベリア半島★2に上陸しました。ターリク将軍はじめ大半の兵は、北アフリカのベルベル人★3です。上陸地点に近い山はアラビア語で「ターリクの山《ジャバル・アル・ターリク》」とよばれ、「ジブラルタル」海峡の名前の由来となりました。

七月、ターリクはゲルマン人の西ゴート王国★4をほろぼし、ピレネー山脈の南、キリスト教徒が住むイベリア半島は、イスラーム教徒の支配圏（ウマイヤ朝）となりました。つづいてアブドゥル・ラフマン・アル・ガーフィキーひきいるイスラーム軍が、ピレネー山脈を越え、南フランスに侵入します。七三二年一〇月、フランク王国★5の宮宰《きゅうさい》★6カール・マルテルひきいるフランク軍は、トゥールとポアティエのあいだの平原で待ちうけていました。

イスラーム軍の主力は槍と弓矢をもつ騎兵、フランク軍はローマ風の斧《おの》や槍をもつ重装歩兵の主力と重装備の騎馬隊です。戦いはイスラーム軍の騎馬隊が突撃し、フランク軍は密集隊形で防戦。激戦は日没《にちぼつ》までつづきましたが、勝敗はつかなかったようです。夜が明けると、イスラーム軍は撤退して消え、残された死体のなかにはアブドゥル・ラフマンの遺体がありました。このト

★1　（生年不明〜七二〇年）ウマイヤ朝の武将。

★2　現在のスペイン、ポルトガルがある地域。

★3　特にモロッコ、アルジェリアの先住民をさす。七世紀以降イスラーム化が進行した。

★4　西ゴート人がつくった国で、イベリア半島の大半を支配した。

★5　四八一年にクローヴィスがフランク人を統一しガリア一帯（現在のフランス、ベルギー）を支配して建国した。のちに王国は分割され、ドイツ、フランス、イタリアのもととなった。

★6　ゲルマン諸国家の宮廷の最高職。

ゥール・ポアティエ間の戦いは有名ですが、実はあまりよくわかりません。

この勝利でカール・マルテルとフランク王国の名声は、一気に高まりました。キリスト教徒の側では、イスラームの侵略《しんりゃく》を撃退し、キリスト教世界を守った戦いとされます。しかし、この後もイスラーム勢力はイベリア半島を支配しつづけ、地中海世界では大きな力を維持していたため、この戦いを大きくは評価できないとの指摘もあります。

Q3

安史の乱

唐は乱を自力で鎮圧《ちんあつ》できなかったのですか。

A この乱は七五五年、唐の安禄山《あんろくざん》★1が「君側《くんそく》の奸臣楊国忠《かんしんようこくちゅう》★2を討《う》つ（君主のそばにいる邪悪な家来、楊国忠をたおす）」として、盟友《めいゆう》の史思明《ししめい》とともに兵を挙げたのがはじまりです。安禄山は辺境《へんきょう》を守る節度使《せつどし》★3で、西域のサマルカンドの出身、ソグド人★4と突厥《とっけつ》の混血で、東北辺の三つの節度使を兼《けん》務《む》し、大軍を指揮していました。
彼は親衛隊八千余騎を中心に、一五万の兵をひきいて都長安《ちょうあん》をめざします。兵のなかには、多数の西域異民族の傭兵《ようへい》がふくまれていました。反乱軍は、六万の兵が守っていた洛陽《らくよう》★5を攻略。安禄山は皇帝を名乗って即位し、燕《えん》国《こく》の樹立《じゅりつ》を宣言します。

★1　（七〇五～七五七年）皇帝玄宗（げんそう）の信任を得ていた。盟友の史思明の名前と合わせ、「安史（あんし）の乱」という。
★2　皇帝玄宗が楊貴妃（ようきひ）を寵愛し、又従兄の楊国忠ら楊氏一族が側近として権勢をふるった。
★3　辺境におかれた傭兵である募兵集団の指揮官。
★4　中央アジアのイラン系の人びとで、オアシス都市をむすぶ商人として活躍した。
★5　黄河中流域の交通の要衝。周などの都となり、隋・唐代には東都と称し繁栄した。

唐軍は統制がとれず、顔真卿《がんしんけい》★6がひきいる義勇軍《ぎゆうぐん》などが勇敢《ゆうかん》に戦いましたが、敗北をかさねます。反乱軍が長安に入ると、皇帝玄宗《げんそう》は四川《しせん》に脱出します。その途中皇帝は兵士らから反乱の責任を追及され、楊《よう》氏一族と皇妃《こうひ》の楊貴妃《ようきひ》★7は殺されました。玄宗が退位すると、即位した息子の粛宗《しゅくそう》は騎馬遊牧民ウイグル★8に援軍《えんぐん》を求めます。一方、側近らの反発をまねいた安禄山は息子の安慶《あんけい》緒《しょ》らに殺され、安慶緒が即位、史思明が軍を指揮しました。

七五七年、唐とウイグルの連合軍一五万が長安を攻撃します。反乱軍は約六万の犠牲を出して敗走、洛陽も陥落《かんらく》します。滅亡をまぬがれた唐の粛宗は、ウイグルに金銀をあたえ、毎年絹二万匹《ひき》の支給を約束、さらに皇女を嫁《とつ》がせることになりました。ウイグルは、史思明★9亡き後息子の史朝義《しちょうぎ》とむすぶ可能性もありましたが実現せず、七六三年、史朝義の自殺によって約九年の大反乱は終わりました。漢詩の「長恨歌《ちょうごんか》」「春望《しゅんぼう》★10」は、この乱にちなむ作品です。

安禄山

★6　唐中期の忠臣で、書家としても有名。

★7　皇妃の一人。玄宗皇帝の愛を一身に集めた美女とされる。

★8　八～九世紀にかけてモンゴル高原を支配したトルコ系騎馬遊牧民。

★9　史思明は安慶緒を殺して皇帝として即位するが、不和となった子の史朝義に殺された。

★10　白居易（白楽天）の「長恨歌」は玄宗と楊貴妃の恋愛とその死を、「国破れて、山河あり」にはじまる杜甫の「春望」は、戦乱に荒れた長安を歌う。

Q4

カール大帝の戦い

カール大帝が一回だけ負けた戦いとは何ですか。

A

カール大帝《カール・デア・グローセ》★1はフランク王国最盛期の王です。つぎつぎに周辺を征服し、現在のフランス、ドイツ、イタリアにおよぶ西ヨーロッパを支配下におきました。八〇〇年には、ローマ教皇から西ローマ帝国をつぐ皇帝として認められ、その権威《けんい》は強大になりました。★2彼は生涯の大半を征服戦争に費《つい》やしましたが、そのなかで唯一《ゆいいつ》の敗北といわれるのが、ロンスヴォーの戦いです。

七七八年、イベリア半島を支配していた後《こう》ウマイヤ朝★3の内部対立を好機《こうき》ととらえ、カールはキリスト教の勢力を回復するために、フランスからピレネー山脈を越えて遠征しました。そしてサラゴサ★4の包囲戦からの帰途《きと》、バスク★5の首都パンプローナなどの都市を破壊して、ピレネー山脈まで戻りました。彼はバスクがイスラーム勢力と手をむすぶ可能性があると考えたのです。しかし故郷をふみにじられたバスク人は、復《ふく》

★1　ドイツ語での名前カールは、フランス語でシャルル、イタリア語でカルロ、英語でチャールズとなる。フランス語では「大」の意味を加え、「シャルルマーニュ」とよばれる。

★2　東ローマ帝国はカールの戴冠を認めなかった。

★3　ウマイヤ朝をたおしたアッバース朝に従わず、北アフリカからイベリア半島に逃れて自立したイスラーム王朝。

フランク王国関係図

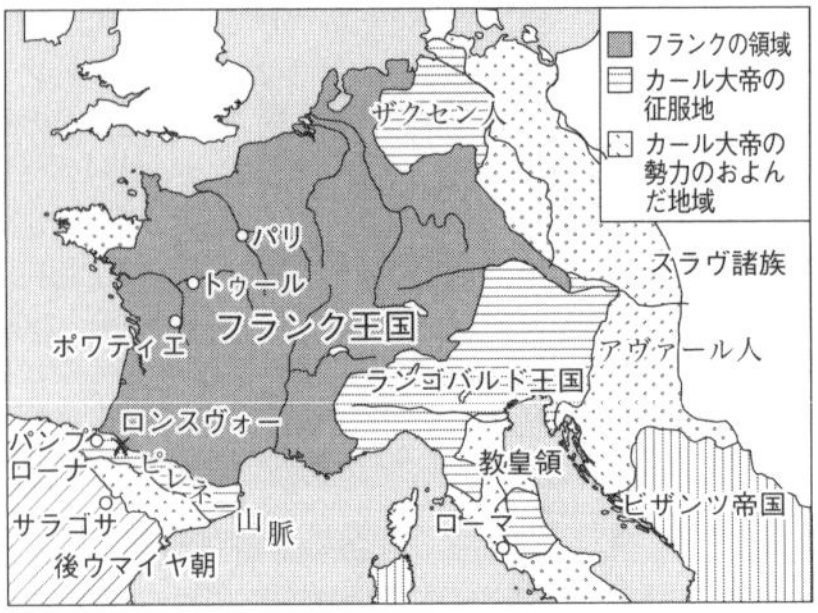

カール大帝像

讐《しゅう》に燃えます。

　八月一五日夜ロンスヴォーで、峠《とうげ》越[★6]え中のフランク軍に突如《とつじょ》バスク兵がおそいかかりました。不意をつかれたフランク軍は大混乱。カール大帝と本隊は、なんとか窮地《きゅうち》を脱《だっ》しましたが、最後尾を守る廷臣《ていしん》ローランたちは、地の利があるバスク兵の猛攻撃で全滅しました。

　これは小さな戦いでしたが、キリスト教徒とイスラーム教徒の大決戦のように脚色《きゃくしょく》されて伝えられます。数百年後、叙事詩《じょじし》『ローランの歌』[★7]が成立しますが、敵はバスク人ではなくイスラーム教徒にかわり、キリスト教徒に心地のよい、史実とはちがう英雄賛美《えいゆうさんび》の騎士物語でした。ローランの死についてはほとんどわかっていません。

Q5

阿弖流為《あてるい》の戦い

坂上田村麻呂《さかのうえのたむらまろ》がアテルイに敗れたのですか。

A

「蝦夷《えみし》」とは、古代日本の朝廷《ちょうてい》が、北関東から東北に住み、朝廷の支配に抵抗して服属《ふくぞく》しない人びとにつけた呼び名です。平安時代、桓武《かんむ》天皇は何回も東北地方に遠征軍をおくりました。これに激しく応戦した蝦夷の指導者が、アテルイ[★1]です。しかし彼に関する史料は、朝廷側の巣伏《すぶせ》の戦いに関する『続日本紀《しょくにほんぎ》』と、降伏を記載《きさい》した『日本紀略《にほんきりゃく》』の二つだけで、くわ

★4　スペインを流れるエブロ川の中流域にある都市、現在はアラゴン州の州都。

★5　ピレネー山脈の西端でスペインとフランスにまたがる地域。バスク人は独自の言語と文化をもつ。

★6　現在のフランスとスペインの国境にある。

★7　作者不詳。一一世紀末から一二世紀はじめに成立。現存する最古のフランス文学のひとつとされる。

★1　史料では「阿弖流爲」「阿弖利爲」とあり、それぞれ「あてるい」「あてりい」と読まれるが、いずれが正しいか不明である。現在は一般に「アテルイ」と書かれる。

しいことはわかりません。

七八八年、朝廷は歩兵と騎兵五万人★2以上を多賀城《たがじょう》★3に集めます。指揮官には参議《さんぎ》★4の紀古佐美《きのこさみ》が任《にん》じられました。紀古佐美は衣川《ころもがわ》に大軍を駐屯《ちゅうとん》させ、北上《きたかみ》川をわたった四〇〇〇人が、アテルイの住居付近で蝦夷軍三〇〇人と交戦します。朝廷軍は逃げる蝦夷軍を追撃《ついげき》しますが、巣伏村（現在の岩手県奥州《おうしゅう》市水沢）付近で待ち伏せ攻撃にあいます。しかも後方にも蝦夷軍があらわれ、はさみ撃ちとなりました。川に逃げる兵には矢がはなたれ、溺死《できし》する兵が多く出ました。一三〇〇人近い死傷者を出し、遠征は失敗に終わりました。

史料には、蝦夷軍が高い戦闘能力をもち、朝廷軍を苦しめたという記述があります。蝦夷は騎馬を用《もち》いた弓術にすぐれていたのです。また指導者の勇《ゆう》猛《もう》さが特記され、機動力のある集団戦がたくみに展開されたことをうかがわせます。

七九七年、坂上田村麻呂★5が征夷大将軍《せいいたいしょうぐん》★6に任命されました。アテルイは大兵力の遠征軍にたいし果敢《かかん》に抵抗しましたが、八〇二年、五〇〇人余りの部下とともに降伏します。田村麻呂は朝廷の寛大な措置《そち》を期待しましたが、アテルイは死刑となりました。★7坂上田村麻呂は朝廷の東北地方征服の英雄とされ、武芸の神などとされますが、鬼神征討《きしんせいとう》や寺社建立《こんりゅう》などの彼にまつわる逸話は、後世つくられたものが多いといわれます。

★2　とくに弓馬にすぐれたものという指示があった。

★3　奈良時代に陸奥国（むつのくに）におかれた軍事的拠点。現在の宮城県多賀城市にあった城柵。

★4　太政大臣、左右大臣、大納言とともに議政官を構成する朝廷の官職。

★5　すでに陸奥の国司だった。

★6　「征夷」とは「蝦夷を征討する」の意。のちに源頼朝から江戸幕府の滅亡まで、武士の棟梁としての最高職を示す称号となった。

★7　田村麻呂が助命を嘆願したが、京の貴族の反対により河内国（かわちのくに）で処刑された。朝廷はアテルイを必要以上に恐れたのかもしれない。

東北地方の城柵

百年戦争「クレシーの戦い」(1346年)。右がイングランド軍の長弓隊、左がフランス軍の弩隊(「フロワサール年代記」挿絵。Q４参照)

6 ヨーロッパ中世の戦争

四世紀後半からゲルマン人の大移動がはじまり、五世紀には西ローマ帝国が滅亡しました。ゲルマン人が建国した国の多くは短命に終わりますが、フランク王国は今日のフランス、ドイツ、イタリアの地域に支配をひろげ、西ヨーロッパには封建《ほうけん》社会が形成されます。商業や都市が発展し、二〇〇年におよぶ十字軍の派遣《はけん》や百年戦争がおこりました。

Q1 ノルマン人の戦い

ヴァイキングは海賊ではないのですか。

A 七九三年六月、イギリスの北東にあるリンディスファーン島の修道院《しゅうどういん》がヴァイキングに襲撃《しゅうげき》され、僧《そう》たちが殺されて、金銀財宝、食料がうばわれました。★1 これ以降イギリスやアイルランドの海岸は、毎年のようにヴァイキングの襲撃をうけました。大陸のフランク王国もヴァイキングの襲撃にさらされますが、彼らを撃退《げきたい》する力はありませんでした。

★1 この襲撃がヴァイキングに関する最初の記録とされる。

ヴァイキングのふるさとは、北ヨーロッパのスカンディナヴィア半島やユトランド半島で、ヴァイキングとは「入《い》り江《え》に住む人」「取引をする人」「航海をする人」などを意味します。彼らが何をしていた人か、わかりますね。しかし古い年代記《ねんだいき》などには、ヴァイキングは「海賊《かいぞく》」や「略奪者《りゃくだつしゃ》」と書かれ、海賊というイメージが定着したようです。ヴァイキングの活動の背景には、ふるさとでの人口の増加や耕地《こうち》不足などがあり、新たな取引先や移住地を求めて各地に進出したのです。初期のころは略奪行為が目立ちましたが、のちには交易《こうえき》や植民《しょくみん》★2のための遠征《えんせい》となりました。この遠征に重要だったのが、船です。

一九世紀末から二〇世紀にかけて、ヴァイキング船がつぎつぎと地中から発見されました。これらは王などの墓として埋《う》められた船です。ノルウェーのゴクスタから出土した船★3は、長さは約二四メートル、幅は五メートルで、一本の竜骨《りゅうこつ》が船首から船尾まで弧《こ》を描いています。側面にはオールの穴が一六ずつあり漕走《そうそう》もしますが、マストを立てた帆走《はんそう》も可能でした。ヴァイキングはこの喫水《きっすい》（水に沈む部分）の浅い頑丈《がんじょう》な船で海をわたり、ヨーロッパ各地の川をさかのぼって商売をし、ときには略奪をおこない、移住もしていったのです。

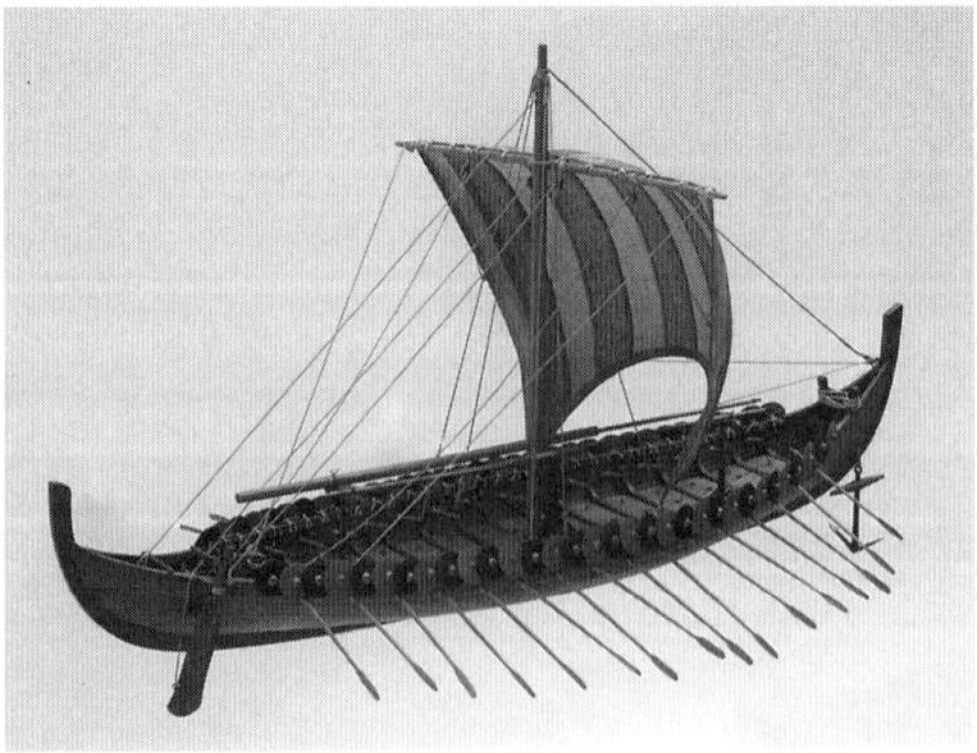

ゴクスタ船の模型

★2　イギリスやアイルランド、アイスランド、グリーンランドから北米にまで植民の航海がおこなわれ、地中海やロシア・ウクライナ方面にも進出している。

★3　一八八〇年にオスロの南西部のゴクスタ農地から発掘され、現在はオスロのヴァイキング船博物館に保存されている。船材が伐採されたのは、八九〇年ころと見られる。

◆映画『ヴァイキング』（一九五八年、リチャード・フライシャー監督）主演カーク・ダグラス。海を制する北欧のヴァイキングを描く。

Q2 ヘースティングズの戦い

ノルマン人がイングランドを征服したのですか。

A

一〇六六年のノルマンディー公ギヨームによるイングランド征服★1、すなわち「ノルマン人の征服」は、史料がとぼしく、くわしいことはわかりません。しかしこのときのヘースティングズの戦いのようすは、「バイユーのつづれ織《お》り★2」で知ることができます。

この布は現在フランスのノルマンディー地方、バイユーのタペストリー美術館に保存され、正確にはタペストリー（つづれ織り）ではなく、白い麻布《あさぬの》に茶や黄、青の毛糸で刺繍《ししゅう》された絵画です。幅五〇センチに長さは約七〇メートルもあり、絵巻物《えまきもの》のような細長い布です。

九一一年、ヴァイキング、すなわちノルマン人の首領《しゅりょう》ロロは、現在のフランスにあたる西フランク王国の王から、セーヌ川河口《かこう》地帯をあたえられました。この地は「ノルマンディー（ノルマン人の国）」とよばれ、後継者はノルマンディー公と名乗ります。このロロから数えて六代目のギヨームは、イングランドの王位継承《けいしょう》を争ってイングランドに侵攻《しんこう》したのでした★3。

布には征服の経過が物語のように刺繍され、当時の武器や軍船、城や戦術などがわかります。上陸したノルマンディー軍は七、八千人といわれ、イングランド王を自称していた貴族のハロルドは、サセックス州のヘースティン

「バイユーのつづれ織り」ヘースティングズの戦いの一部

グズでこれを迎え撃ちました。しかし斧《おの》と楯《たて》で武装したイングランドの歩兵軍は、ノルマンの騎兵軍に敗れ、ハロルドも右目を射ぬかれて敗死します。

戦いに勝利したギョームは、ロンドンのウェストミンスター寺院でウィリアム一世として即位式をあげました。彼は「征服王」とよばれ、イングランドにノルマン朝が成立します。しかしこのイングランド王はノルマンディー公として、西フランク王の臣下《しんか》のままでした。本拠《ほんきょ》はあくまでノルマンディーで、それはイングランド各地の領主となったノルマン貴族も同じでした。★4イングランドは、フランス王の家臣《かしん》がおさめる国となったのです。

Q3 十字軍の遠征

十字軍はイエルサレムで何をしたのですか。

A 十字軍の派遣は、一〇九五年一一月にローマ教皇《きょうこう》ウルバヌス二世がクレルモン★1でおこなった演説がきっかけとなりました。彼はイスラーム教徒が聖地イエルサレムを占領し、キリスト教徒を迫害《はくがい》していると、聖地の奪還《だっかん》★2をよびかけたのです。背景には、セルジューク朝★3の進出に悩まされているビザンツ皇帝からの救援要請《きゅうえんようせい》がありました。教皇の演説は熱狂的な反響《はんきょう》をよび、翌一〇九六年、第一回の十字軍遠征がおこなわれます。

ビザンツ帝国の首都コンスタンティノープルに、ヨーロッパ各地から十字

★1 日本では国名・地名として「イギリス」が使われているが、イギリスは連合王国で、イングランド、ウェールズ、スコットランド、北アイルランドで構成される。イングランドはグレートブリテン島の南部を占め、一六世紀以降はウェールズとともにイングランド王国となる。
★2 ギョームの異父弟であるバイユーの司教の命令でつくられたとされる。
★3 イングランドの北からは、やはり王位をねらうノルウェー王が侵入していた。
★4 イングランドの支配層は総入れ替えされた。支配者はフランス語を話し、大陸と行き来し、イギリスにフランス文化が浸透した。

★1 フランス中南部の町で、宗教会議が開催された。
★2 イエルサレムはすでに四〇〇年以上前から、イスラーム勢力の支配下にあった。キリスト教徒の巡礼に支障はなく、イエルサレムには多くのキリスト教徒が居住し、平和に暮らしていた。
★3 イラン、イラクを支配したトルコ系の王朝で、シリア、アナトリアに進出した。

軍が集結しました。歩兵約三万人、騎兵四五〇〇、さらには満足な武器ももたない、貧《まず》しい農民や都市住民などの「民衆十字軍」★4もいました。一〇九九年六月、イェルサレムを包囲《ほうい》した十字軍側は、攻《こう》城《じょう》用の高い移動櫓《やぐら》やはしごで城壁を突破する作戦をとり、一方イェルサレムを支配していたエジプトのファーティマ朝★5は、城壁を補《ほ》強《きょう》してそなえていました。

十字軍は苦戦のすえ、七月イェルサレムを占領します。イスラーム側の史料には、七万人もの大《だい》虐殺《ぎゃくさつ》がおこなわれ、金銀、馬、奢侈品《しゃしひん》など莫大《ばくだい》な戦利品《せんりひん》が持ち去られたとあります。キリスト教徒側の史料にも、ソロモン神殿跡★6に敵を追いつめ、男女の別なく剣で首を打ち落とし、「くるぶしまで血にひたるほどの殺戮《さつりく》をおこなった」と書かれています。殺戮はユダヤ教徒にもおよび、シナゴーグ（ユダヤ教会）に避難した人びとは、生きたまま焼き殺されました。

十字軍の遠征（第１回〜第３回）

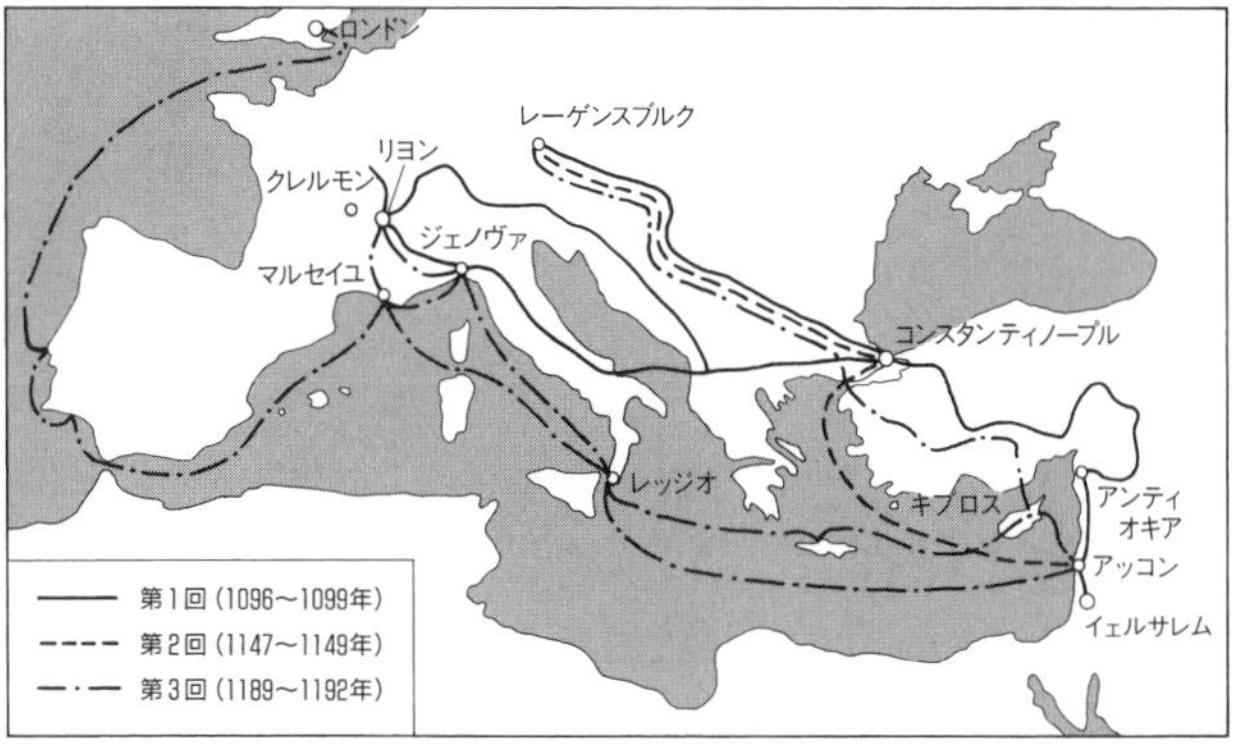

★4　子どももふくまれる。動機も巡礼や略奪などで、各地で衝突をおこし、小グループに分裂。残った人びとがイェルサレム攻略に参加した。

★5　十字軍侵入直前にセルジューク朝からイェルサレムの支配権をうばった。

★6　聖書によると前一〇世紀ころソロモン王によって建設され、前六世紀に破壊されふたたび建設された。しかし七〇年にローマにより破壊された。

しかしこうした虐殺の場面は後世の書物や挿絵《さしえ》からは消え、自慢《じまん》すべき金品の略奪《りゃくだつ》が多く伝えられました。

のちの一一八七年、エジプトのサラディン★7がイエルサレムを再攻略したときには、サラディンは味方の兵による略奪を防ぐ措置《そち》をとり、捕らえたキリスト教徒は殺さずに、補償金《ほしょうきん》をとって立ち退《の》かせたといわれます。★8

Q4

百年戦争

本当に百年間も戦争がつづいたのですか。

A 一般に百年戦争とは、一三三七年から一四五三年までつづいた一〇〇年余りの英仏間の戦争をさします。しかし、この間絶《た》え間なく戦争がつづいたのではなく、多くの戦いのあいだに何回も和平交渉がおこなわれ、長い休戦期間もありました。これらをまとめて「百年戦争」と名づけたのは、一九世紀のことです。

英仏間の戦争というと、「イギリス」と「フランス」という国家間の戦争ととらえてしまいそうですが、国らしいイギリスやフランスが成立するのは、百年戦争の後のことです。戦争のきっかけはイングランド王エドワード三世★1が、フランスの王位継承権（王になる権利）を主張したことでした。しかし実際のねらいは、イングランドにとって重要な、羊毛の輸出先であるフラン

★7　サラーフ・アッディーンといい、アイユーブ朝の建国者で第三回十字軍と戦った。

★8　男は金一〇枚、女は五枚、子どもは一枚、老人などは無償で釈放されたという。

◆映画『キングダム・オブ・ヘブン』（二〇〇五年、リドリー・スコット監督）十字軍の騎士となったフランスの若者の物語。

百年戦争当時の英仏関係

★1　フランス国王フィリップ四世の娘が母親だったことから王位継承権を主張した。

ドル地方[★2]の支配にありました。一方フランスには、イングランド王家が大陸にもつ領地で、ワインの産地であるアキテーヌ地方[★3]をとりもどすねらいがありました。

百年戦争[★4]ではフランス各地の町や村が略奪、放火され、さらに飢餓《きが》や伝染病もかさなり、民衆の状況はひどいものとなりました。戦争の結果、イングランドはカレー[★5]だけを残して大陸の領土の大半を失い、またフランスでは貴族が力を失い国王の権力が強まりました。

イングランドの王族や貴族は、フランス語を使っていましたが、戦争をはじめたエドワード三世は軍隊でのフランス語の使用を禁止しました。以後彼らは英語を使い、学校でも英語が教えられるようになります。こうして中世に幕がひかれ、「イギリス人」や「フランス人」という意識が生まれることになりました。

★2　オランダ、フランスの一部もふくむ今日のベルギーを中心とした地域。

★3　ギエンヌともいう。ボルドーを中心都市とし、婚姻により一二世紀半ばからイングランド王の領地となった。

★4　イングランド軍の長弓の一斉射撃は、騎士の一騎打ちという従来の戦い方を一変させた。イングランドは当初優勢だったが、国内の権力争いや財政難、フランスのジャンヌ・ダルクの登場などもあり、敗北した。

★5　一五五八年にフランスが奪還。以後イングランドの関心は、アメリカ大陸へむかう。

◆映画『ジャンヌ・ダルク』（一九九九年、リュック・ベッソン監督）主演ミラ・ジョボヴィッチ。百年戦争でフランスの英雄とされるジャンヌの生涯を描く。ジャンヌを扱った映画は、一九四八年のイングリッド・バーグマン主演作ほか複数ある。

Q5

ワット・タイラーの乱

ロンドンを農民軍が占領《せんりょう》したのですか。

A

ワット・タイラーは、一四世紀末にイングランドでおきた農民一揆《いっき》の指導者です。彼の生い立ちはよくわかりませんが、名字《みょうじ》から瓦《かわら》職人の子ではないかといわれます。ワット・タイラーの乱のきっかけは、まだ少年だった国王リチャード二世が、廷臣《ていしん》の意をうけて、百年戦争の戦費のために人頭税《じんとうぜい》★1を導入したことでした。

農民や都市住民の不満が高まるなか、司祭《しさい》のジョン・ボールは町や村をまわり、「アダムが耕《たがや》し、イブが糸をつむいだとき、いったい誰が領主だったのか」★2と説教をし、神の前で人は平等であること、農奴《のうど》制の廃止などを主張し、人びとの心をゆさぶりました。

一三八一年五月、エセックス州からはじまった農民一揆は、ケント州にひろがります。農民軍はワット・タイラーにひきいられ、ロンドンにおしよせて大司教や廷臣を殺し、屋敷を焼きはらいました。ロンドン塔に避難していたリチャード二世は、しかたなくタイラーら農民軍との会談に応じ、農民を土地にしばりつけてきた農奴制の廃止や、農民が納める地代《ちだい》の減額などを約束します（マイル・エンド綱領《こうりょう》）。しかし翌日の会見時、タイラーは王のそばにいたロンドン市長によって、剣で殺されました。

農民軍は指導者を失って総くずれとなり、国王軍は各州を制圧します。各地の指導者は捕《とら》えられ、ジョン・ボールも処刑されました。しかしそれでも農民のたたかいはつづき、農奴解放★3がすすみました。農奴だった農民たちは領主の支配から自由になり、独立した自営農民（ヨーマン）となっていったのです。

★1　人頭税は、一定の年齢以上の男女全員に課される税。

★2　『旧約聖書』では、アダムは神がつくった最初の男性で、イブは最初の女性とされる。

ワット・タイラーを殺害するロンドン市長（フロワサール『年代記』挿絵）

★3　一四世紀のペストの流行で農奴人口が激減したため、領主は地代の軽減など農奴の待遇改善をすでにすすめていた。ワット・タイラーの乱後、約一〇〇年間でイングランドに農奴はほとんどいなくなった。

14世紀に描かれたワールシュタットの戦い。左がモンゴル軍、右がポーランド、チュートン騎士団連合軍（Ｑ１参照）

7 アジアの帝国

一三世紀、モンゴル軍は内陸アジアを征服し、さらに西へとヨーロッパにまで遠征しました。中国では宋《そう》をたおして元《げん》を建て、朝鮮や日本、そして東南アジアにまで侵攻《しんこう》します。

一四世紀になると中国に明《みん》、中央アジアにはティムール朝が成立し、一五世紀にはオスマン帝国がビザンツ帝国をほろぼしました。

Q1 ワールシュタットの戦い

モンゴル軍はなぜ恐れられたのですか。

A

一三世紀にモンゴル民族は、西はヨーロッパから東は朝鮮、日本、南はジャワにまで遠征軍を送り、全陸地面積の四分の一におよぶ大帝国を建設しました。ワールシュタットの戦い[★1]は、その西の境界線でおきた、ポーランドとドイツ（神聖ローマ帝国）の連合軍との戦いです。

一二三五年、チンギス・ハンの後をついだ第三子のオゴタイ・ハンは、ク

★1　ポーランドの地名ではレグニツァ（ドイツ語ではリーグニッツ）で、レグニツァの戦いともいう。ワールシュタットはのちにできた町の名で、ドイツ語では「死体の町」の意。

リルタイ★2でロシア遠征を決定。指揮官にはチンギス・ハンの孫バトゥが任命されました。モンゴル軍はロシアの大部分を支配下に入れ、その西のポーランドに侵入します。そして一二四一年、ポーランド西部のレグニツァ平原のワールシュタットで、大決戦がありました。

騎兵を中心に集団戦法でせまるモンゴル軍★3二万と、重い装備で身をかためた騎士と歩兵からなる二万五〇〇〇のポーランド・ドイツ連合軍の戦いです。結果は連合軍の惨敗《ざんぱい》。指揮官のシロンスク公ヘンリク二世（ポーランド）も、戦死しました★4。

この敗北はヨーロッパに大きな衝撃《しょうげき》をあたえ★5、もはやモンゴル軍の進撃に打つ手はないとも見られました。しかしこのときオゴタイ・ハンの死を知らせる急使《きゅうし》が到着し、モンゴル軍は撤退《てったい》します。ヨーロッパは寸前のところで、モンゴルの脅威《きょうい》から逃《のが》れました。

モンゴル軍の強さは、第一に彼らが騎馬遊牧民で、馬を使う機動戦に長《た》けていたことがあります。兵士一人は数頭の馬をつれ、馬の疲《つか》れに応じて乗り換えました。馬は食料にもなり、骨や皮も役立ちました。また獣《けもの》の骨や腱《けん》などでつくった、強力で軽い小型の弓の使用や、厳格《げんかく》な軍組織★6と軍規《ぐんき》があげられます。彼らは抵抗する人びとには徹底的な殲滅戦《せんめつせん》をおこなったため、当時のヨーロッパ人は恐怖と悪意から、モンゴル兵を化け物のように描いています。

★2　モンゴル帝国の最高議決機関。「集会」を意味する。

★3　指揮官はハンガリーにいたバトゥではなく、遠征に参加した王族の一人と考えられる。

★4　この戦いは同時代文献にはまったく見られず、一五世紀の文献に登場したとされ、仮に戦いがあったとしても小規模だったとする説がある。

★5　ローマ教皇インノケンティウス四世は、情報収集のため、フランチェスコ会修道士プラノ・カルピニをモンゴルに派遣した。

★6　モンゴル帝国では、全遊牧民を一〇〇〇人の兵を出せる千戸集団、その下に百戸・十戸の集団に編成していた。遠征では千戸まるごと参加することは少なくなっていた。

Q2

紅巾《こうきん》の乱

これは明を建国した朱元璋《しゅげんしょう》がおこした乱ですか。

A

ちがいます。世直し宗教の一種といえる白蓮教《びゃくれんきょう》★1を信じる農民たちがおこした乱です。元朝《げんちょう》末期は経済が混乱し、天候不順がつづいて飢饉《ききん》がおき、農民の困窮《こんきゅう》は深刻でした。乱のきっかけは、毎年のように洪水《こうずい》をおこす黄河《こうが》の治水《ちすい》工事に必要な人夫《にんぷ》の徴発《ちょうはつ》でした。

一三五一年、白蓮教の指導者韓山童《かんざんどう》が反乱をくわだてますが、蜂起《ほうき》前に捕まり処刑され、あとを彼の子韓林児《かんりんじ》が引きつぎました。白蓮教徒を中心とする農民の勢力は拡大し、各地で呼応《こおう》する反乱がおこります。彼らは仲間の目印に紅《くれない》色の頭巾《ずきん》をつけたので、「紅巾《こうきん》の賊《ぞく》」とよばれました。元《げん》に対する反乱は、農民を苦しめてきた地主《じぬし》にもむけられ、地主は独自の軍を組織し、元朝に協力して反乱に対抗しました。

この反乱のなかで、武将として頭角《とうかく》をあらわしたのが朱元璋《しゅげんしょう》です。彼は貧《まず》しい小作人《こさくにん》の家に生まれ、飢饉で家族を失い、やむなく僧《そう》となっていたときに、紅巾軍に身を投《とう》じました。朱元璋は「人を殺さず」、「質素倹約《しっそけんやく》を旨《むね》とする」という規律《きりつ》を軍団に守らせます。紅色の甲冑《かっちゅう》を身につけ紅色の旗をかかげた紅巾軍は、各地で元軍をやぶり、ついに現在の南京《なんきん》に入城します。朱元璋は少しずつ地主層にも支持をひろげ、地主の軍を自分の軍団に組み込んで

二つの洪武帝（朱元璋）の肖像画　どちらの絵が実像に近いだろうか。

いきました。そして一転、彼はなんと白蓮教徒を攻撃し、反乱を鎮圧《ちんあつ》する側にまわります。

朱元璋は一三六六年までに反乱をおさえ、翌年には対立するもっとも有力な軍団もやぶり、翌々年みずから皇帝となって明《みん》王朝をひらきました。こうして皇帝洪武帝《こうぶてい》となった朱元璋は、農民にたいして、身をわきまえること、忠孝仁義《ちゅうこうじんぎ》の大切さを説《と》きました。★2

Q3 皇帝が捕虜《ほりょ》になったのですか。

アンカラの戦い

A

ティムールは分解・解体したモンゴル帝国の再興《さいこう》をめざし、中央アジアから西アジアにかけての大帝国を建設した人物です。★1 そのティムールのおそらく最大で最後の戦いが、アンカラの戦い★2でした。

ティムール軍は一四〇〇年からオスマン帝国領のシリア、そして小アジアに侵攻しました。それはオスマン帝国皇帝バヤジット一世★3がバルカン半島に進出し、ビザンツ帝国の首都コンスタンティノープルを攻撃していたため、不在のときでした。

バヤジット一世はただちに引きかえし、一四〇二年、小アジアのアンカラ（現在のトルコの首都）近郊《きんこう》で、決戦がおこなわれました。ティムールはみず

★1　仏教の一派で、その起源は古く南宋時代に宗教結社としてひろまった。世の中が乱れたときには弥勒菩薩（みろくぼさつ）があらわれ救ってくれるという弥勒信仰が反体制勢力とむすびついた。

★2　明王朝は地主階級に立脚し、農民を厳しく支配する政権となった。皇帝独裁体制を強化した洪武帝は、民衆教化のための六か条の教訓・六諭（りくゆ）を発布した。

ティムール　一九四一年にソ連がサマルカンドの廟に安置されていた遺体を調査し、復元した像

から戦場で指揮《しき》して戦ったといわれます。このときのティムール軍は象《ぞう》軍、騎兵、歩兵からなる約二〇万人。オスマン帝国軍は約一二万人、兵士の多くは長距離の強行軍で疲れ切っていました。

　戦いは七月二〇日の朝から夜までおこなわれ、ティムール軍の騎馬隊がオスマン帝国軍のイェニチェリ★4歩兵軍をやぶり、圧勝しました。退却《たいきゃく》中のバヤジット一世は落馬し、捕虜《ほりょ》となります。この敗北によってオスマン帝国は一時壊滅《かいめつ》寸前の危機★5におちいり、攻められて滅亡寸前だったビザンツ帝国は、逆に半世紀あまり命をのばしました。

　ヨーロッパには、ティムールは捕《と》らえたバヤジット一世を猛獣《もうじゅう》のように鉄のオリのなかに入れて連れまわり、乗馬の際は四つんばいにさせた彼を踏《ふ》み台にした、という話が残っています。その一方、ティムールにつかえた歴史家は、ティムールがバヤジット一世を処刑もせず、捕虜として破格《はかく》のあつかいをし、彼が病気で死んだときには涙を流したと記しています★6。

ティムール朝とオスマン帝国

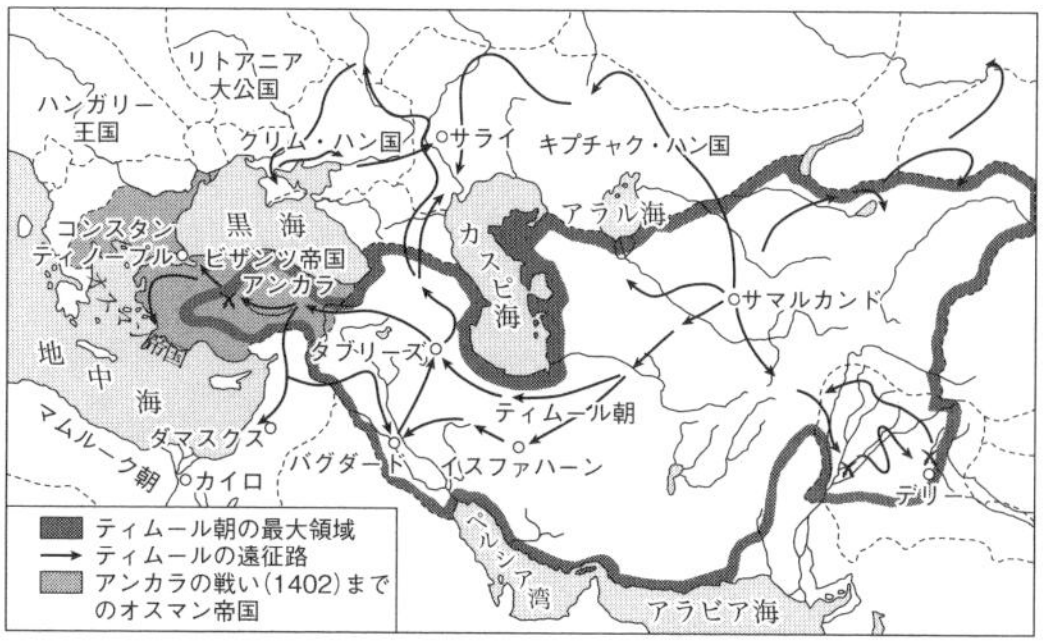

★1　モンゴル貴族の子として生まれた。モンゴル帝国は大きく四つにわかれ、解体にむかっていた。サマルカンドを都とするティムール朝を建てた。

★2　オスマン帝国は一二九九年にオスマン一世によって建国され、アナトリアのビザンツ領を征服、バルカン半島に進出した。

★3　オスマン帝国第四代皇帝で、積極的な外征により「雷帝」「稲妻」とよばれた。

★4　一四世紀後半からのオスマン帝国の常備軍。主にバルカン半島のキリスト教徒の子弟を強制的に徴用し、改宗、訓練して皇帝直属の精鋭軍とした。

★5　オスマン帝国は、バヤジット一世の子メフメト一世によって再建される。

★6　バヤジット一世は毒薬を飲んで自殺したという説もある。ヨーロッパの伝承は、アジアを見る目が事実とかけ離れていると感じさせる。

Q4

コンスタンティノープル陥落《かんらく》

船が陸の上をすすんだのですか。

A

コンスタンティノープル★1はビザンツ帝国の都として、一〇〇〇年以上にわたって繁栄した都市です。しかし一五世紀になるとビザンツ帝国の領土は、大半はオスマン帝国にうばわれ、コンスタンティノープル周辺のわずかしかありませんでした。そのコンスタンティノープルを一五四三年四月、オスマン帝国皇帝のメフメト二世が約一〇万の兵と三五〇隻《せき》の軍船で包囲します。

幾度《いくど》も攻撃をうけていたビザンツ帝国は、城壁を補修《ほしゅう》し、ボスフォラス海峡《かいきょう》に面した金角湾《きんかくわん》の入口には海中に鉄鎖《てっさ》をはり、敵の船が入り込めないよう守りました。オスマン軍の大砲は巨大で音も大きいのですが、城壁をくずせません。オスマン軍兵士が城壁をよじのぼろうとすると、上から火が投げられました。攻城塔《こうじょうとう》による攻撃や、城壁の下にトンネルをとおす作戦も無力でした。

難攻不落《なんこうふらく》の都を落とすため、メフメト二世は用意の策《さく》を放《はな》ちます。まず、ボスフォラス海峡からガラタの丘を越えて金角湾に向かう五キロの道に、油を塗《ぬ》った丸太《まるた》を埋《う》めま

★1　ローマ帝国皇帝コンスタンティヌスの名に由来する命名。

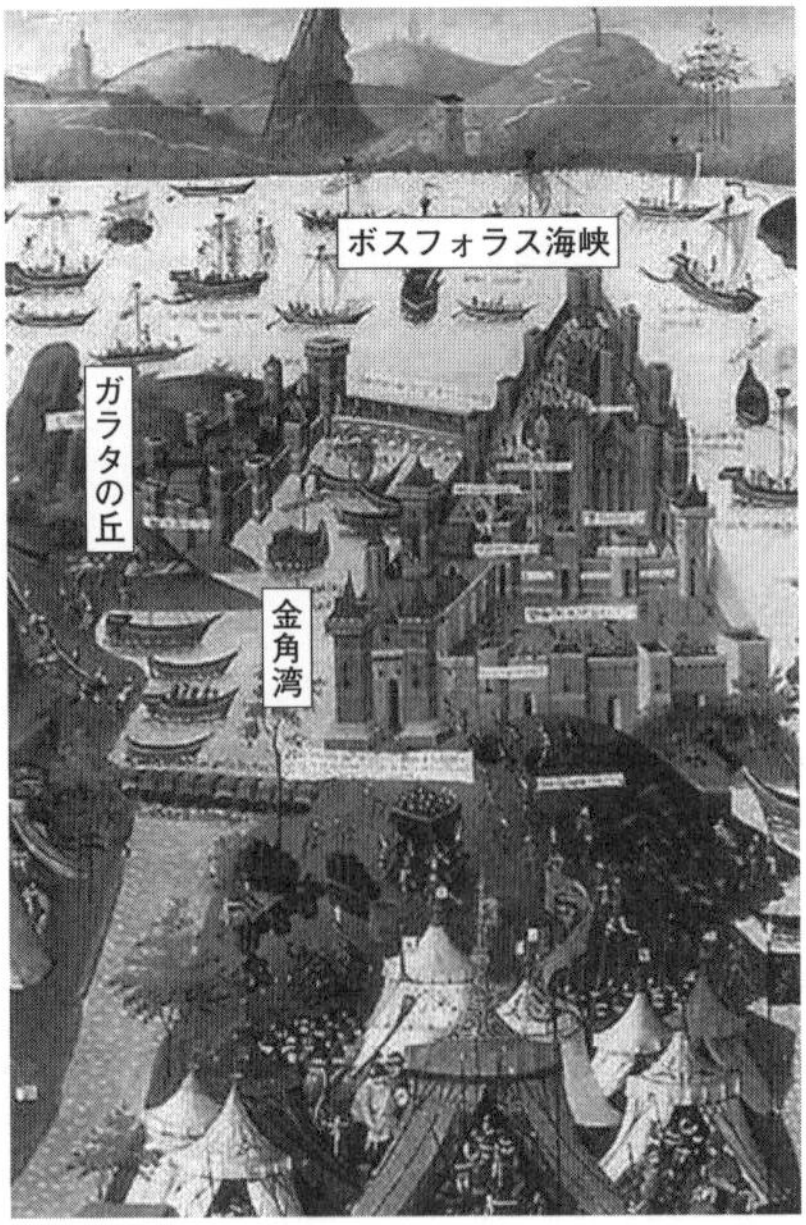

丘を越えてコンスタンティノープルの金角湾に入ったオスマン帝国の艦隊（手前）

した。そして七〇隻もの船が陸にあげられ、その丸太の上をすべらせてのぼり、金角湾に下ろされました。都を防衛する要《かなめ》の金角湾に、オスマン艦隊が侵入したのです。

この奇策《きさく》に城内の士気《しき》はくじかれ、通用門からオスマン兵が城内に突入して、総攻撃はあっけなく終わりました。ビザンツ皇帝コンスタンティヌスは戦死し、四〇〇〇人余りのキリスト教徒が虐殺《ぎゃくさつ》されたといわれます。入城したメフメト二世はハギア・ソフィア聖堂★2に入り、アッラーに感謝の祈りをささげました。キリスト教徒の聖堂はイスラーム教徒のモスクとなり、コンスタンティノープルはイスタンブルと改名されました。

★2　四世紀にコンスタンティヌス帝によって建立されたキリスト教の聖堂。六世紀にユスティニアヌス一世が再建。一九三四年に宗教的に中立な博物館とされたが、二〇二〇年七月、モスクにもどされた。

Q5

元《げん》の日本遠征

遠征の失敗の原因は、台風ですか。

A　元《げん》の日本遠征は二度とも台風★1によって失敗した、といわれます。しかし第一回の文永《ぶんえい》の役《えき》（一二七四年）は現在の一一月で、史料では台風の存在は確認されず、有名な『蒙古襲来絵詞《もうこしゅうらいえことば》』★2にも台風の場面は描かれていません。そのため、戦闘を有利に展開していた元軍が一夜にして撤退《てったい》した、という説には疑問が出されています★3。

第二回の弘安《こうあん》の役（一二八一年）は八月で、台風が到来《とうらい》したことは史料で

★1　当時は朝廷その他が神仏へ祈った効果とされ、のちには「神国日本」をまもる「神風」のおかげによる防衛とされた。

★2　文永・弘安の役に出陣した肥後の御家人竹崎季長が、みずからの戦功を記録し、恩賞を得るために描かせた絵巻。

確認され、長崎県鷹島《たかしま》沖では沈船《ちんせん》★4も発見されています。しかし台風通過後には海戦がおこなわれ、御家人《ごけにん》★5の奮戦で元軍が敗れています。元の敗北は、二度の「神風《かみかぜ》」★6ではなかったのです。

元の海外遠征は日本だけではありません。日本遠征には先に征服された高《こう》麗《らい》人や南宋《なんそう》人が、戦後処理もかねて多数動員され、女真人《じょしんじん》★7などにも船の建造が命じられ、北のサハリンへも遠征しています。南の琉球《りゅうきゅう》にも、一二九二年に小規模な元軍の襲来がありました。東南アジアではヴェトナムやチャンパー、ジャワなどにも遠征し、ここでも敗れたり台風にあったりしています。

フビライの第一回日本遠征の裏には、南宋★8の打倒《だとう》という目的がありました。敵国南宋と日本が友好（通商）関係★9をもち、南宋が兵器に使う火薬の原料、硫黄《いおう》★10の産地が日本であったことが指摘されています。

フビライは三回目の日本遠征も計画しましたが、度重《たびかさ》なる遠征への中国民衆の激しい抵抗と、並行《へいこう》したヴェトナム遠征でも強い抵抗をうけたため、日本遠征は中止されました。なお、元と鎌倉幕府の戦争中も日元貿易はおこなわれ、経済的な関係は維持《いじ》されていました★11。

★3 『元史』には「官軍整わず、また矢尽きる」と撤退の原因があげられているが、これをどう解釈するのか。日本側の抵抗が予想外に大きかったことも指摘される。

★4 老朽船やバラスト（重し）の過剰積載船だったことが確認された。

★5 将軍と主従関係にある武士。「国家の危機」ととらえて戦ったのではなく、「御恩と奉公」という封建的主従関係の枠で結束して戦ったとされる。

★6 当時は「神風」が元軍を撃退したという認識はない。後世につくられた考え。

★7 中国東北地方に居住するツングース系の狩猟・農耕民。一二世紀に金を建国するが、一二三四年にモンゴルと南宋に攻撃され滅亡した。

★8 江南に再建された宋王朝。一二七九年に元軍の攻撃で滅亡した（厓山の戦い）。

★9 日宋貿易では日本からは金、硫黄、木材などが輸出され、中国からは大量の宋銭が輸入され、日本の貨幣経済の発達をうながした。

★10 火山国である日本は硫黄が豊富にとれるが、中国ではほとんど産出しない。

★11 戦争という軍事的緊張関係にはあったが、フビライも幕府も貿易には積極的で、経済的関係は深まっていた。

マルティン・ルター（Q１参照）

8 宗教がからんだ戦争

信仰が人を殺すことがあるのでしょうか。歴史を見ると、実に多くの宗教戦争があります。しかし、宗教戦争とよばれるできごとを見ていくと、単に宗教対立だけが原因ではなく、さまざまな政治や社会の問題が背景にあることがわかります。

Q1 ドイツ農民戦争

ルターは農民たちを支持したのですか。

A

一五二四～二五年にかけて、西南ドイツ★1に農民蜂起《ほうき》がひろがりました。この蜂起はその規模の大きさから、農民戦争とよばれます。宗教改革の口火をきったマルティン・ルター★2の影響をうけて、農民たちは教会の司祭《しさい》を自分たちで選ぶこと、農奴《のうど》制の廃止、賦役《ふえき》や租税《そぜい》の軽減など「一二か条」の要求をかかげたのです。ルターは当初、この農民たちに同情を示しました。

蜂起は拡大しつづけ、ルターの信奉者《しんぽうしゃ》だったトマス・ミュンツァーは、社会の改革をめざし、ルターと対立するようになります。するとルター

★1　西南ドイツは教会や修道院の領地が多く、税や共有地をめぐって領主と農民の対立が絶えなかった。

★2　一五一七年、ヴィッテンベルク大学の教会の扉に、贖宥状（しょくゆうじょう）販売を批判した「九五か条の論題」を張り付けたとされる。しかし庶民にラテン語は読めず、現在では友人に回覧したにすぎないとされる。

はミュンツァーたちを「悪魔の手先」とよび、『農民の殺人・強盗《ごうとう》団に抗《こう》して』というパンフレットを出版し、諸侯《しょこう》★3に彼らを弾圧するようよびかけました。農民たちが求めた改革は、ルターが求めた教会だけの改革にとどまらなかったのです。

農民の蜂起に狼狽《ろうばい》していた領主たちは、ルターの支持を得てシュヴァーベン★4同盟のもとに結集し、反撃に出ました。一五二五年五月、ミュンツァーらの農民軍八〇〇〇はフランケンハウゼンの丘で、諸侯軍の騎兵二〇〇〇、歩兵四〇〇〇と対峙《たいじ》します。農民側には鎌《かま》や斧《おの》、手に入れたわずかな武器しかなく、諸侯側は小銃や大砲までもっていました。それでも農民側の抵抗は激しく、諸侯側が休戦を提案するほどでした。

攻撃が再開され、農民側の犠牲は約六〇〇〇人となりました。ミュンツァーは負傷して捕《と》らえられ、拷問《ごうもん》にかけられた後に処刑されました。この二年間にわたる農民戦争で殺された農民は、一〇万人をこえるといわれます★5。勝利した諸侯たちは、農民たちに城を焼きはらわれた小貴族を支配下に入れ、破壊された修道院《しゅうどういん》の領地も手に入れて、支配を強めました。

★3 領地と農民を支配する、上級貴族や教会の高位聖職者。

★4 西南ドイツをさす歴史的地名。

★5 農民戦争の敗北は、ドイツ社会の発展を遅らせた。戦後、南ドイツの農民はルター派から離れ、多くがカトリックとなった。

トマス・ミュンツァー

Q2

ユグノー戦争

サン・バルテルミの虐殺とは何ですか。

A

ルターと並ぶ宗教改革の指導者カルヴァンは、フランスを逃《のが》れてスイスのジュネーヴで改革にとりくみました。フランスではカルヴァン派のプロテスタント★1が、商工業者から貴族にまでひろがりましたが★2、カトリック側は彼らをユグノー★3とよんでさげすみました。

両派の対立が深刻化するなか、一五六二年一月、幼《おさな》い王シャルル九世の母親で摂政《せっしょう》となったカトリーヌ・ド・メディシス★4は、プロテスタント勢力の支持を得ようと、プロテスタントの礼拝《れいはい》の自由を認める勅令《ちょくれい》を出しました。カトリック勢力はこれに反発、有力者ギーズ★5公の軍隊が、シャンパーニュ地方のヴァッシーで、礼拝中のプロテスタント七四人を殺害しました。これにはじまる両派の四〇年近くもの争いを、ユグノー戦争といいます。長い戦争の背景には、信仰のちがいだけでなく、貴族間の対立や外国★6の干渉《かんしょう》などがありました。このなかの最大の悲劇が、サン・バルテルミ★7の虐殺《ぎゃくさつ》です。

実権をにぎるカトリーヌ・ド・メディシスは、対立をおさめるために、カトリックである娘のマルグリットとプロテスタントの有力者、ブルボン家のアンリを結婚させます。お祝いのため全国から多くのプロテスタントがパリに集まっていましたが、一五七二年八月二四日の「サン・バルテルミの祝

サン・バルテルミの虐殺

★1　カトリック教会から分離した人たち、新教徒の総称。

★2　フランスの人口の一〇分の一にもなったといわれる。

日」の未明《みめい》から、カトリック教徒がプロテスタント約四〇〇〇人を殺害する事件がおこりました。殺戮《さつりく》は全国にひろがり、犠牲者は三万人ともいわれます。この黒幕はカトリックのカトリーヌ・ド・メディシスとされ、両者の対立はいっそう激化しました。

ブルボン家のアンリは捕らえられましたが脱出し、プロテスタントをひきいて戦いました。くしくものちに彼はフランス王アンリ四世となり、ブルボン朝を開きます。即位後、国家の分裂《ぶんれつ》を防ぐためカトリックに改宗しましたが、一五九八年にナントの王令を出してプロテスタントの信仰を認め、ユグノー戦争を終わらせました。政治の安定を最優先してのことでした。

★3 ユグノーの語源については諸説あるが、「誓約仲間」を意味するドイツ語のジュネーヴなまりに由来するとの説が有力。

★4 フィレンツェのメディチ家出身のフランス王妃。両派の宗教対立を利用して王権強化をはかるが、のちにはカトリックの立場でプロテスタントを弾圧した。

★5 ユグノー戦争のときのカトリック側の中心人物。

★6 カトリックをスペインが、ユグノーをイギリスが支援した。

★7 イエスの一二使徒の一人。その殉教を記念した祝日が八月二四日。

Q3

オランダ独立戦争

オランダはスペインから独立したのですか。

A そうです。現在のオランダ、ベルギーは「低い土地」を意味する「ネーデルラント」とよばれ、中世には毛織物《けおりもの》業で栄《さか》えていました。一四七七年にハプスブルク家★1の領地となり、一五五六年にスペイン領となります。商業が発達したネーデルラントにはカルヴァン派のプロテスタントが多く、カトリックを支持するスペイン国王フェリペ二世は、プロテスタントを弾圧して、重税をとりたてました。

★1 神聖ローマ皇帝位をほぼ継承したオーストリアの王家。ネーデルラントは婚姻によりハプスブルク家領となり、その後ハプスブルク家出身のスペイン国王フェリペ二世が継承して、スペイン領となった。

不満をもった農村の中・小貴族は団結し、改革を求める請願書《せいがんしょ》を出します。このとき彼らは役人から「田舎乞食《いなかこじき》」と軽蔑《けいべつ》されましたが、みずから自分たちを「乞食党《ゴイセン》」★2と名乗り、スペインに対抗しました。やがて都市でもカルヴァン派の蜂起《ほうき》がおこるようになったので、フェリペ二世はアルバ公を指揮官として一万の兵を送ります。弾圧★3が厳しくなると、貴族をふくめ多くのカルヴァン派がヨーロッパ各地に亡命《ぼうめい》しました。

一五六八年、亡命していた大貴族のオラニエ公ウィレムを指導者に、スペインとの本格的な独立戦争がはじまります。独立軍はイギリスとフランスの支援をうけ、北部で運河《うんが》を利用したゲリラ戦を展開しました。一五七四年、ライデン市がスペインの大軍に包囲《ほうい》されたときは四か月の籠城《ろうじょう》戦となり、市内の食料は尽《つ》きてしまいました。このときオラニエ公は川の堤防《ていぼう》の決壊《けっかい》を命じ、低地帯を洪水《こうずい》にしてスペイン軍をしりぞけました。

一五八一年、オラニエ公ウィレムを総督《そうとく》★4として、南部一〇州★5を除いた北部七州がネーデルラント連邦共和国の独立を宣言しました。しかし独立が国際的に認められたのは、六七年後の一六四八年のウェストファリア条約★6です。戦争開始から八〇年後のことでした★7。オランダという国名は、戦いの中心となったホラント州が、国名のように用いられたことに由来します。

ネーデルラント連邦共和国

★2　正しくはヘーゼン、「乞食」の意。カトリック側が侮蔑して用いた呼び名が、ネーデルラントでのカルヴァン派の呼称となった。

★3　処刑された人は八〇〇〇人といわれる。

★4　スペイン領時代、ネーデルラントにおかれていた国王代官の職名。独立後の最高官職者名として、オラニエ家が世襲した。

★5　独立戦争から離脱し、スペイン領にとどまった。カトリック教徒が多く、ほぼ現在のベルギーにあたる。

★6　三十年戦争の講和条約。すでに実質的に独立していたスイスとオランダの独立が、正式に承認された。

★7　このためオランダ独立戦争は「八十年戦争」ともよばれる。

Q4

三十年戦争

戦争したのは、雇《やと》われた兵士たちだったのですか。

A

三十年戦争は、最後で最大の宗教戦争といわれます。ルターのはじめた宗教改革からほぼ一〇〇年後のことでした。一六一八年、神聖ローマ皇帝のカトリック強制に対してベーメン（現在のチェコ西部、ボヘミア）のプロテスタントが反乱★1をおこし、両派の対立は全ドイツに拡大、さらに外国が介入したことによって、各国間の戦争に拡大しました。戦いは火砲《かほう》を使った集団戦でしたが、担《にな》い手は王や諸侯が雇《やと》った兵士、すなわち傭兵《ようへい》でした。

王や諸侯は自分の軍隊をもたず、軍隊が必要になると、傭兵団をひきいる傭兵隊長と契約をむすびました。契約後、資金が支払われると、一切は隊長に任せられ、経験豊かな徴募官《ちょうぼかん》が、たくみな宣伝で兵士を集めました。神聖ローマ皇帝フェルディナント二世につかえたヴァレンシュタイン★2は、多くの傭兵隊長をかかえた大傭兵隊長でした。

傭兵の出身地はヨーロッパ全域でしたが、フランス王を支えるスイス人傭兵は、精強《せいきょう》さで有名でした。出身階層はいろいろで、報酬さえよければ契約先はどこでもよかったのです。装備や武器は各自でそろえるので、統一されずバラバラでした。どのようにして敵味方の区別をつけたのでしょうね。

傭兵たちは戦争が仕事なので、戦争が終わると失業します。戦争が早く終

略奪や暴行をおこない処刑された傭兵（一六三二年、ジャック・カロ）

わらないほうがよいわけで、たがいに適度《てきど》に戦っているふりをしました。しかし、他人を殺すことが仕事、死も覚悟ですから、人柄《ひとがら》は乱暴で残忍《ざんにん》、生活が荒れるのは当然です。傭兵部隊や各国軍は各地で略奪をくりかえし、ドイツでは戦争によって多くの町や村が焼かれ、人びとも巻きこまれ、人口も一六〇〇〇万人が一〇〇〇万人に減少したといわれます★3。

Q5

一向一揆《いっこういっき》の戦い

信長《のぶなが》が門徒《もんと》を虐殺したのですか。

A

戦国時代には戦国大名《だいみょう》だけでなく、寺院も武力をたくわえ、戦国大名と争いながら勢力を拡大しました。一向宗《いっこうしゅう》★1の門徒は石山本願寺★2を頂点に、全国各地の寺院・道場を拠点《きょてん》として織田信長の支配に抵抗しました。大坂での石山合戦《かっせん》★3は一五七〇年から断続的に約一〇年間つづき、戦いは近畿・東海・北陸など各地でも展開されました。

長島★4は、木曽川《きそがわ》などが伊勢湾《いせわん》にそそぐ輪中《わじゅう》★5地帯にあります。尾張《おわり》と伊勢の国境にあるため政治権力がおよびにくく、船で各地と交易《こうえき》をする長島の人びとは、多くが一向宗の門徒でした。一五六七年におこなわれた信長の攻撃に屈《くっ》しなかった門徒たちは、一五七〇年に法主顕如《ほうしゅけんにょ》の信長打倒の檄文《げきぶん》に応《こた》えて蜂起し、つぎつぎと信長の軍勢を打ちやぶります。

★1　ベーメンの貴族が新教徒にたいする迫害に憤慨し、神聖ローマ皇帝の代官をプラハ城の窓から堀に投げ落としたことが発端となった。

★2　プロテスタント諸侯に連勝し、北ドイツを制圧した。しかしカトリック諸侯や皇帝の反発をかって罷免（ひめん）され、殺害された。

★3　戦争のあいだ疫病もくりかえし流行した。

★1　一般的には本願寺を中心とする鎌倉時代に親鸞（しんらん）が開いた浄土真宗をさす。北陸・近畿・東海地域では多くの信者を獲得し、本願寺の教えや権益をまもるために門徒が団結して蜂起し一向一揆をおこし、戦国大名などと対立した。

★2　大坂の摂津・石山には浄土真宗本願寺派の本山があり、寺内町が形成されていた。

★3　信長の軍資金と大坂退去の要求に対し法主顕如（けんにょ）は、一五七〇年信長打倒の蜂起をよびかけ、大坂では籠城戦となった。包囲した信長軍は一時は一〇万をこえたともいわれる。本願寺側の抵抗は強く、一五八〇年朝廷の仲介により信長と講和、顕如・教如父子は大坂を去った。

★4　現在の三重県桑名市。

しかし一五七四年、信長は七万をこえる軍勢で長島を包囲。一揆勢は在地《ざいち》の豪族《ごうぞく》伊藤氏からうばった長島城のほか、いくつかの砦《とりで》にこもって抵抗しました。しかし背後の海を封鎖《ふうさ》され、食料補給がむずかしくなり、逃げ道も閉ざされてしまいます。増える餓死《がし》者に一揆側は降伏《こうふく》を申し出ますが、船で出るときに信長軍から鉄砲を撃《う》ち込まれました。抗戦三か月、最後の砦はいく重もの柵《さく》でかこんで逃げ道をふさぎ、四方から火をかけ二万人余りの男女が焼き殺されたといわれ、長島の一向一揆衆の最後は大虐殺でした。信長は「根切《ねぎ》り（皆殺《みなごろ》し）」にする方針だったのです。

信長は北陸★6でも一向一揆に徹底的な弾圧をおこないました。「一揆勢一〇〇〇人余りが信長の部下の前田利家《としいえ》の軍勢に捕らえられ、磔《はりつけ》や釜《かま》であぶる刑に処せられた」と書かれた瓦《かわら》が、★7 福井県武生《たけふ》（現・越前市）の城跡から出土《しゅつど》しています。信長軍の残忍さを後世《こうせい》に残す告発《こくはつ》でした。

一向一揆　文字瓦

★5　河口のデルタ地帯で、集落や土地を洪水から守るために堤防でかこんだ地域。

★6　蓮如の布教によって「真宗地帯」といわれるほど一向宗門徒が多く、加賀の一向一揆は守護富樫（とがし）氏をたおして一国の支配権をにぎった。

★7　瓦の製作中に、棒で書き込み焼き上げたもの。労役に徴発された一揆の生き残りか農民によると考えられる。

アルマダの海戦（Q３参照）

9 一六世紀の戦争

「世界の一体化」がはじまった一六世紀以降、世界の経済は大きく発展し、活発な交易《こうえき》や文化交流がおこなわれました。しかし衝突《しょうとつ》もおきました。進出した勢力と進出をうけた現地の勢力とのあいだで戦争がおこり、さらに進出先の覇権《はけん》をめぐって、各国間の戦争がくりかえされたのです。

Q1 インドでバーブルはどんな戦いをしたのですか。

パーニーパットの戦い

A バーブル★1は一五二六年にアフガニスタンからインドに入り、自軍の一〇倍近いロディー朝★2の軍をやぶりました。そのインド支配を決定した地が、デリーの北一三〇キロのパーニーパットです。インド要衝《ようしょう》の地であり、この後も何回か歴史上の決戦の場となりました。★3

バーブル軍は騎馬隊を主力とする一万二〇〇〇人、ロディー朝軍は一〇万人の兵士に戦象一〇〇〇頭といわれます。しかし、ロディー朝軍が多数であ

★1　父方はティムール、母方はチンギス・ハンの血をひくといわれる。ティムール帝国の再興をめざしたが、サマルカンドの占領に失敗し、インド征服にむかった。

★2　北インドを支配したデリー・スルタン朝最後の王朝。

ったのは確かですが、正確な数字はわかりません。戦いの前、バーブルは近《きん》隣《りん》の村々から多くの荷車《にぐるま》を調達《ちょうたつ》し、牛皮《ぎゅうひ》でつなぎあわせました。この荷車の壁をバリケードにして、大砲と鉄砲隊を配備《はいび》します。鉄砲はポルトガル人が伝えたもので、バーブルはいち早く取り入れていました。

小競《こぜ》りあいがしばらくつづいた後、決戦の日をむかえました。ロディー朝軍はバリケードで前進を阻止《そし》され、両翼《りょうよく》から背後にまわった騎馬隊によって、はさみ撃ちにされました。バーブルはこの火砲と騎兵を併用《へいよう》した戦術によって、半日の戦闘で大軍を敗北させました。ロディー朝軍の犠牲は一万六〇〇〇人以上、バーブル軍の犠牲はわずかだったとされます。

バーブルはこの大勝利で勢いにのり、デリーに進軍。南のアグラ城に入城します。そして、このロディー朝の城でインド皇帝であることを宣言し、ムガル帝国★4を建国しました。

バーブルはその後も各地に遠征し、北インドにムガル帝国の支配をひろげます。バーブルは軍人としてだけでなく文人《ぶんじん》としてもすぐれ、みずからの半生を著述《ちょじゅつ》した回想録《かいそうろく》『バーブル・ナーマ』は高く評価されています。

★3　一五五六年にアクバル帝がムガル朝の支配を再建する戦いの地となり、一七六一年にはアフガニスタンの勢力とインドのマラーター同盟の戦いがおこなわれた。

バーブル

★4　「ムガル」の語源は「モンゴル」とされる。バーブルの孫の第三代皇帝アクバルは、自分たちイスラーム教徒がヒンドゥー教徒にたいして圧倒的な少数派であることを熟知し、国内融和と宗教的寛容の政策をとった。

Q2

レパントの海戦

海戦はガレー船でおこなわれたのですか。

A

一六世紀、オスマン帝国は最盛期《さいせいき》をむかえます。オスマン帝国は海軍力の増強につとめ、ダーダネルス海峡《かいきょう》の入口に建設した造船所で大小さまざまな軍艦《ぐんかん》をつくり、一五三八年にはプレヴェザの海戦★1で勝利して、地中海の制海権《せいかいけん》もにぎりました。これにたいしスペインを中心とするヨーロッパの国々は、何とか制海権をとりもどそうとします。

一五七一年、オスマン帝国に対抗するスペインやヴェネツィアなどの連合艦隊《かんたい》約三〇〇隻《せき》が、シチリアの東端《とうたん》メッシーナに集結しました。艦隊の主力はスペインのガレー船★2で、他に櫂《かい》（オール）を用《もち》いない帆船《はんせん》、ガレー船と帆船双方《そうほう》の特徴をもつガレアス船などでした。指揮官のドン・ファン・デ・アウストリアが乗るスペインのガレー船には、漕《こ》ぎ手が三〇〇人、戦闘員となる槍《やり》と火縄銃《ひなわじゅう》をもった兵士が四〇〇人以上乗

オスマン帝国の最大領域

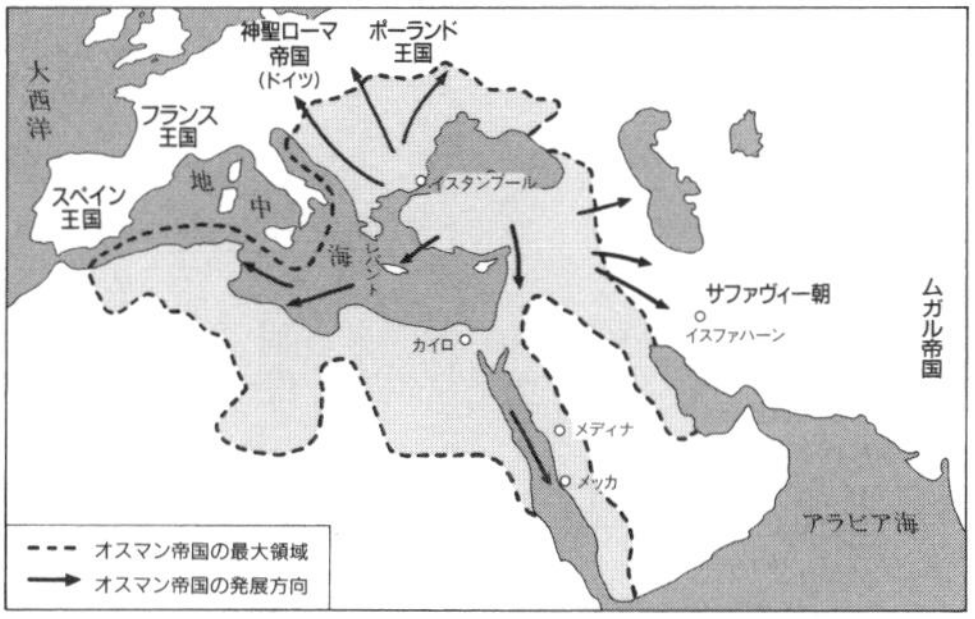

★1　プレヴェザはイオニア海東岸の町で、オスマン艦隊がスペイン、ヴェネツィア、ローマ教皇の艦隊をやぶった。

★2　古代から一九世紀まで地中海で使用された櫂（かい）と帆（ほ）を併用した軍船で、中世のものは三角帆をそなえ、細長く低い船体で速度と機動性にすぐれていた。

十字の旗が連合軍、月星の旗がオスマン帝国軍のガレー船（一九七一年マルタ騎士団発行の切手）

船していました。この時代の海戦は陸戦の延長のようなもので、砲撃のあと敵船に船体を突っ込んで横づけし、敵船に兵士が乗り移って戦います。このときの連合軍側の兵士は、二万八〇〇〇人といわれます。

一方のオスマン艦隊も、中心はガレー船で約二八〇隻。一〇月七日早朝に、コリント湾の一角レパント湾★3で双方は遭遇《そうぐう》します。すぐに戦闘となり、激戦は午後までつづきました。結果はオスマン帝国側の大敗で、指揮官アリが戦死し犠牲者と捕虜《ほりょ》は三万人、連合側の犠牲者は七五〇〇人とされます。オスマン帝国側はわずか数十隻が逃げのびただけでした。敗因には武器や物資《ぶっし》の不足と、それによる士気《しき》の低下があげられています。

この戦いはキリスト教世界では、プレヴェザの海戦の敗北を雪辱《せつじょく》したといわれます。しかし海戦後、オスマン帝国はただちに海軍を再建し、地中海の制海権を確保しました。

★3　プレヴェザの南。

Q3 アルマダの海戦

スペイン艦隊をなぜ「無敵艦隊」とよぶのですか。

A 一五八八年にイングランドに敗れたスペイン艦隊を「無敵艦隊」とよぶのは、日本だけのようです。「La Armada Invencible（無敵艦隊）」の呼称《こしょう》は、戦いの三〇〇年後の一八八四年に、スペインの海軍大佐が書いた論文のタイトルが由来とされます。スペインでは、単に「艦隊（アルマダ）」といい、戦いも一般的には「アルマダの海戦」とよばれます。

当時カトリックのスペインは、プロテスタントのエリザベス一世が支配するイングランドがオランダ独立戦争を支援し、またドレイク[★1]などがスペインの船を襲撃《しゅうげき》して海賊行為をおこなうことに、不満をつのらせていました。[★2]

スペイン艦隊総数一三〇隻[★3]は、イングランドの征服をめざし出港します。しかし悪天候になやまされ、イングランドの南のプリマス沖まで三か月もかかりました。英仏海峡ではドレイクらが、疲れ切った艦隊を待ちうけます。イングランド軍の細長いガレオン船は軽快に走り、砲撃しては逃げる戦術をくりかえしました。正規の軍艦はわずかでも大砲の精度《せいど》は高く、一〇〇〇メートルもの射程《しゃてい》がありました。八月七日の夜、ドレイクはわらや火薬を積んだボロ船に火をつけ、敵の艦隊に突入させました。焼き討ち（ファイアー・シップ）作戦です。

スペイン側は大混乱。散《ち》り散《ぢ》りになった艦隊は、北海からスコットランドの北をまわり帰国しようとしましたが、敵と嵐に襲われ、帰国できた船は約半数でした。[★4]これ以降海戦は、帆船のガレオン船やオールで漕ぐガレー船で接近し歩兵が斬《き》り込む戦法から、射程の長い大砲を撃ち合う砲撃戦に変化していきます。

スペイン艦隊の航路

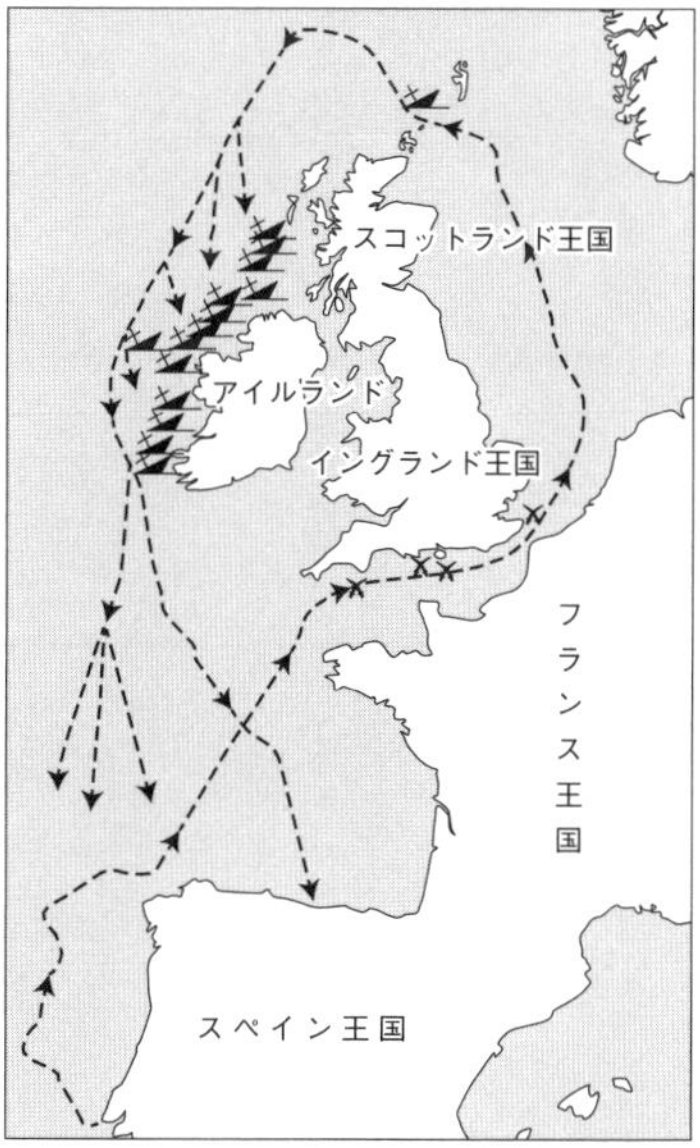

★1　ドレイクの海賊行為はエリザベス一世に公認されていた。イギリス人で最初に世界周航に成功した航海者。

★2　元スコットランド女王でカトリック教徒のメアリ・ステュアートが、プロテスタントのエリザベス一世に処刑されたことも理由のひとつ。

★3　乗員は陸軍一万八〇〇〇人、海軍八〇〇〇人といわれる。

★4　スコットランド西岸などから、スペイン艦隊の沈没船が発見された。兵士の装備も不ぞろいで、さまざまな形態の船を寄せ集めた艦隊だったと指摘される。

Q4

「壬辰倭乱《イムジンウェラン》」

秀吉《ひでよし》の朝鮮侵略《しんりゃく》はなぜ失敗したのですか。

A 秀吉がおこなった「文禄《ぶんろく》・慶長《けいちょう》の役《えき》」を、日本では「失敗した」といいます。しかし韓国・朝鮮では「壬辰倭乱《イムジンウェラン》」とよび、秀吉の侵略にたいする「抵抗戦争に勝利した」とされています。一五九二年四月、秀吉の命《めい》をうけた約一六万の日本軍（秀吉の軍勢）が、釜山《プサン》に上陸しました。ただちに釜山鎮城《プサンジンソン》を陥落《かんらく》させて北へすすみ、五月には都の漢城《ハンソン》を占領《せんりょう》、さらに北へとむかいます。戦国時代を経《へ》て戦術や武器に勝《まさ》る日本軍は、焼き討《う》ちと略奪をくりかえしながら進撃《しんげき》をつづけました。朝鮮側は防衛体制★1がととのわず、圧政《あっせい》と重税《じゅうぜい》に苦しむ農民のなかには日本軍を歓迎する者もいました。

しかし、日本軍の占領地での支配が強化されるようになると、「義兵《ぎへい》」と称《しょう》する民衆の反撃がはじまりました。郷土《きょうど》防衛のため自発的に生まれた義兵は、地《ち》の利《り》を生かして奇襲《きしゅう》攻撃をおこない、日本軍に大打撃をあたえました★2。明《みん》の援軍《えんぐん》四万も到着します。また李舜臣《イスンシン》がひきいる亀甲船《きっこうせん》★3が日本の船をつぎつぎに沈《しず》め、制海権《せいかいけん》をにぎりました。日本軍からは逃亡者が続出するようになります。しかも投降《とうこう》した人のなかには朝鮮軍にくわわって戦い、鉄砲の製造を伝えた人もいました。彼らは「降倭《こうわ》」★4とよばれ、その数は一万人ともいわれます。

「壬辰倭乱」関係図

★1　長らく戦争がなかった朝鮮では兵役が忌避され、軍事体制が弱体化していた。

★2　戦争をとおして義兵の数は約三万人とされる。赤い服を着て戦闘に参加した郭再祐（クァクチェウ）は、「紅衣将軍」とよばれ有名。

一五九三年、講和《こうわ》交渉が開始されると、日本軍は釜山付近まで撤収《てっしゅう》し、倭《わ》城《じょう》★5とよばれる城を築《きず》きました。一五九七年に交渉が破綻《はたん》すると、秀吉は一二万余の兵を送り、侵略を再開します。明軍と朝鮮軍、義兵は各地で日本軍の進撃を阻《はば》みました。要衝《ようしょう》の地にある蔚山《ウルサン》倭城は二度にわたり明・朝鮮連合軍に包囲され、とくに冬の包囲では、約一万の兵が飢えと寒さに苦しめられました。

日本軍の残虐《ざんぎゃく》行為は前回にもまして激しくなり、戦功《せんこう》のしるしとされた鼻切《はなき》り★6の徹底や、農民や職人などの日本への強制連行★7がおこなわれます。一五九八年八月、秀吉の死によりようやく日本軍は撤退を開始、二回にわたる侵略は終結しました★8。

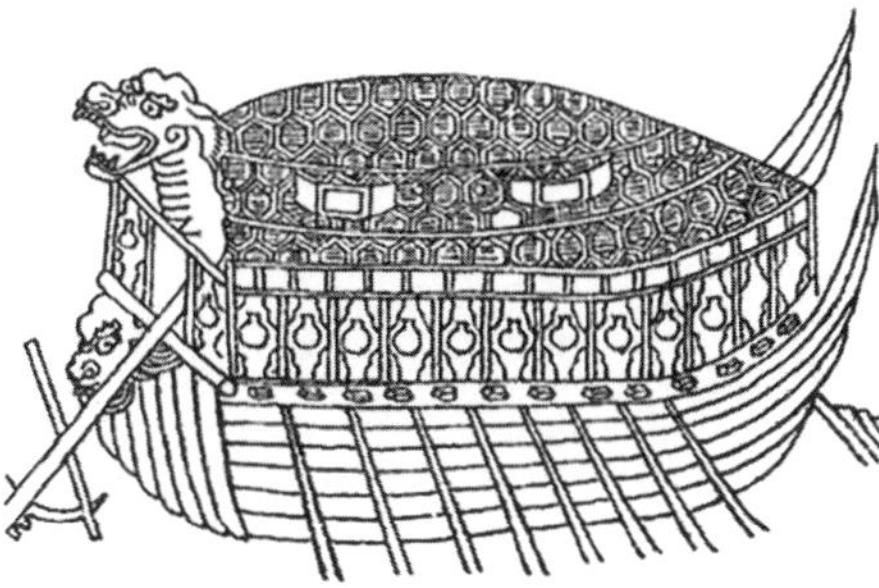

亀甲船

★3 亀型の頑丈な木造の軍艦。敵が乗り移れないよう船体をおおった鉄板が、甲羅に似る。無数の銃口から火砲が発射された。

★4 戦争に動員された者の多くは農民。加藤清正軍の先鋒だったという沙也可（さやか）とよばれる人物は、降倭の軍をひきいて日本軍と戦い、子孫が現在も韓国にいる。

★5 日本軍は一一の本城と七の支城に駐屯、日本の職人や農民を動員して築城した。蔚山（ウルサン）城をはじめいくつもの城跡が残り、日韓両国の城郭研究が期待されている。

★6 朝鮮・明の将兵の首のかわりに、耳や鼻を切り取った。二回目では鼻の数が戦功のしるしとされたため、非戦闘員、老若男女を問わず対象とされた。鼻は樽などに塩漬けされ、送られた。それを供養したものが、京都に残る「耳塚」である。

★7 農民は奴隷として売られたり、農村での労働力とされた。職人では有田焼や薩摩焼などを生んだ陶工がおり、学問に影響を与えた朱子学者もいた。江戸幕府は当初これらの人びとを朝鮮に送り返した。

★8 日本国内でも侵略にたいする諸大名の反発は大きく、徳川家康は参加していない。また、各地の農民も、徴用と重税の負担から、耕作地から逃亡するものが多かった。

Q5 長篠《ながしの》の戦い

「鉄砲の三段撃ち」はなかった、というのは本当ですか。

A 戦国時代の一五七五年六月、三河《みかわ》国の長篠《ながしの》城（現在の愛知県新城《しんしろ》市）をめぐって、織田信長と徳川家康の連合軍が、武田勝頼《かつより》の軍と設楽原《したらがはら》の地で戦い、大勝しました。この長篠の戦い★1で信長は馬防柵《ばぼうさく》をもうけ、三〇〇〇丁《ちょう》の鉄砲隊で勝頼の騎馬隊を打ちやぶったとされています。しかし正確なことはわかっていません。

「鉄砲三〇〇〇丁」は、江戸時代に小瀬甫庵《おぜほあん》の『信長記《しんちょうき》』などに記《しる》され、通説★2となりました。しかし『信長記』は信長につかえた太田牛一《おおたぎゅういち》の『信長公記《しんちょうこうき》』がもとで、信頼性にとぼしいと指摘されます。牛一の本には「千挺《せんちょう》ばかり」と記されているだけで、数についてはいくつもの推測が出されています。同様に「一〇〇〇人ずつ三交代し、連続して一斉《いっせい》射撃をおこなった」という「鉄砲三段撃ち」も、甫庵の本の記述で、牛一の本にはありません。今日では、戦場の地形や射程《しゃてい》距離を無視した一斉射撃★3は不可能と指摘されます。また、鉄砲の多段《ただん》撃ちには相当な訓練が必要であり、信長軍の寄せ集めの鉄砲足軽《てっぽうあしがる》では不可能だともいわれます★4。

馬防柵についても、当時の軍役《ぐんえき》★5に関する史料などを見ると馬の数は少なく、騎乗《きじょう》できるのは指揮官クラスの人物だけと考えられます。武田の騎馬武者に

★1　武田軍が長篠城を包囲し、家康の要請により信長が出陣して開始された。決戦の地が設楽原だったため、長篠設楽原の戦いともいう。

★2　旧日本陸軍参謀本部編『日本戦役・長篠役』は、鉄砲三〇〇〇丁の三段撃ちをおこなったとする。

★3　射撃手の技能の個人差、無駄弾の多さ、当時の火器の安全性を考えると不可能である。

★4　『長篠合戦図屏風』に三段撃ちの場面はない。

★5　家来に課せられる軍事上の負担。武田軍でも知行高に応じて騎馬武者と徒歩兵が割り当てられ、小集団として行動している。騎馬隊としての団体訓練は見られない。

よる攻撃があったとする説もありますが、騎馬隊や騎馬軍団の攻撃があったのでしょうか。当時の宣教師《せんきょうし》ルイス・フロイスは、日本ではヨーロッパと異なり、下馬して戦闘がおこなわれていると記しており、騎乗しての戦闘はほとんどなかったとする説もあります。★6

しかし武田側が大敗したことは事実です。通説では兵力は織田・徳川連合軍が三万八〇〇〇、武田側が一万五〇〇〇といわれ、二倍以上のひらきがありました。また、鉄砲の数でも織田・徳川側が圧倒《あっとう》していたことは、まちがいないようです。

長篠の合戦図屏風

★6　当時の日本の馬体（現在ならばポニーの大きさ）と鎧・兜着用で騎乗する人物の総重量を考えると、騎馬隊による突撃は考えられない。

◆映画『影武者』（一九八〇年、黒澤明監督）主演仲代達矢。戦国時代に武田信玄の影武者として生きた人物の悲喜劇を描く。長篠の戦いのいわゆる鉄砲三段撃ちもとりあげられている。

白人と闘うアメリカ先住民（Ｑ２参照）

10 アメリカにおける戦争

アメリカでも、古い時代から先住民のあいだで争いがあったと考えられます。しかし史料で確認できる戦争は、ヨーロッパ人の渡来《とらい》以降のことです。先住民とヨーロッパ人が戦い、ヨーロッパ人どうしの戦争がおこなわれ、またアメリカ人どうしの戦争もおきました。

Q1 インカ滅亡

インカ帝国は少数のスペイン人によってほろぼされたのですか。

A 一五世紀後半、現在のコロンビア南部からチリにいたるアンデス山脈一帯を支配するインカ帝国は、全盛期をむかえていました。アメリカにわたったスペイン人にとって、そこは金《きん》で満ちあふれる夢の黄金郷《おうごんきょう》でした。一攫千金《いっかくせんきん》をねらうフランシス・ピサロ★1は、スペイン国王カルロス一世★2の許可を得て、征服《せいふく》に乗り出します。同行したのは、約一八〇人のスペイン人と数十頭の馬。当時馬はアメリカ大陸にはおらず、はじめて馬を見た先住民は、

★1　イタリア戦争に参加後エスパニョーラ島にわたり、バルボアのパナマ地峡横断に参加した。支配地や戦利品の分配をめぐり仲間と対立し、殺害された。
★2　神聖ローマ帝国皇帝（カール五世）を兼ねていた。

馬と一体で剣をふり突進する騎兵に驚愕《きょうがく》し、悪魔のように恐れたといわれます。

一五三二年一一月一五日、ピサロ一行はインカ皇帝アタワルパが滞在《たいざい》するアンデス山中のカハマルカに到着しました。インカ帝国では帝位《ていい》をめぐる争いがつづき、勝利したアタワルパが帝位についたときでした。彼のもとには何万もの兵がおり、その規模にピサロらは仰天《ぎょうてん》しました。翌一六日、アタワルパは兵をひきいてスペイン人が宿営《しゅくえい》する広場を訪《おとず》れます。

ピサロは修道士を使い、皇帝アタワルパに改宗《かいしゅう》をせまります。そして案《あん》の定《じょう》、拒否した皇帝が聖書を地面に投げつけると、それが攻撃開始の合図でした。インカ側の犠牲は記録には二〇〇〇人とも、八〇〇〇人ともあります。一方的な虐殺《ぎゃくさつ》でした。

捕虜《ほりょ》となったアタワルパは解放を求め、捕《と》らえられた部屋いっぱいの量の金銀を払うと交渉して、各地から財宝を集めさせました。しかしそれでもスペイン人は約束を守らず、一五三三年七月、アタワルパは処刑されました。インカの抵抗はその後も長くつづきます。★3 インカ帝国の子孫であることは、今もペルーの人びとの大きな誇《ほこ》りです。

インカ帝国　マチュピチュ遺跡

アタワルパ

★3　一五七二年、インカ帝国の末裔として抵抗していたトゥパク・アマルが、スペイン軍に処刑され、ほぼペルー全土が征服された。しかし一八世紀末のスペインへの大反乱では、指導者はトゥパク・アマル二世と名乗り、また一九九六年のペルー日本大使公邸占拠事件を起こしたゲリラ組織も、トゥパク・アマルと名乗った。

Q2

アメリカ独立戦争

ジョージ・ワシントンは先住民も攻撃したのですか。

A イギリスの植民地だったアメリカの独立戦争は、アメリカでは「アメリカ革命」とよばれます。戦争中に出された独立宣言には「すべての人は平等につくられ」と書かれ、その思想はまさに革命的なものでした。独立に期待して戦争にくわわった黒人もいましたが、その「すべての人」のなかには、黒人や先住民、女性はふくまれていません。それどころか先住民は無慈悲《むじひ》な「野蛮人《やばん》」と書かれていたのです。

ボストン茶会《ちゃかい》事件[★1]は戦争のきっかけとなった事件ですが、植民地の人びとはイギリス船をおそう際、先住民に変装しました。さらに戦争がはじまると、どちらの側も競《きそ》って先住民を味方にひきこもうとしました。大西洋岸で大きな勢力をもっていたイロコォイ連合[★2]は、イギリス側につく者と、独立側につく者に分裂します。多くの先住民は植民者と対立していたので、イギリス側についたのです。分裂したイロコォイの村は、焦土《しょうど》戦術をとるジョージ・ワシントンの軍隊につぎつぎに攻撃され、長年植民地人の侵入を阻止《そし》してきたイロコォイ連合は消滅《しょうめつ》していきました。

独立戦争は一七八三年のパリ条約で終結します。しかし先住民と白人の戦いは、終わりませんでした。アメリカ合衆国はイギリスからミシシッピ川以

★1　イギリス本国が東インド会社に茶の独占販売権などをあたえた茶法に反対する人びとが、ボストン港に停泊する東インド会社の船をおそい、積荷の茶箱を海に投げ捨てた事件。

★2　連合はモホーク族、オナイダ族、オノンダーガ族、カユーガ族、セネカ族、タスカローラ族で構成される。連合では、イギリス人が北米に入植した時点で連邦制度を導入しており、連合の意思決定は大会議で徹底的に議論し、まとまらない場合には多数決で決定していた。ジェファソンやフランクリンはこのことを熟知しており、国家の枠組みをつくる際に参考にしたともいわれる。

軍服姿のジョージ・ワシントン

東の土地を獲得《かくとく》し、ワシントンは先住民が居住《きょじゅう》するミシシッピ支流のオハイオ川流域の開拓をすすめました。先住民は政府軍を打ちやぶりましたが、徹底した焦土作戦をうけ、一七九五年にグリーンヴィル条約をむすばせられます。先住民は広大な土地を合衆国にゆずって支配を認め、白人の大規模な西部進出がすすみました。

◆映画『パトリオット』（二〇〇〇年、ローランド・エメリッヒ監督）主演メル・ギブソン。独立戦争時のサウスカロライナ植民地の戦いを描く。

Q3

ハワイ統一戦争

ハワイ州旗《しゅうき》には、なぜイギリス国旗が入っているのですか。

A

ハワイは現在はアメリカ合衆国の州ですが、かつては独立した王国でした。州旗はそのハワイ王国の国旗で、関係が深かったイギリスとアメリカの国旗のデザインを取り入れたといわれます。白、赤、青の八本の横《よこ》縞《じま》は、ハワイ諸島の主な八つの島をあらわします。

世界の海を探検したイギリスの軍人ジェームズ・クック★1が、はじめてハワイを訪れたのは一七七八年。当時ハワイの島々は三人の王がそれぞれ支配していました。ハワイ島とマウイ島の一部を支配していたのがカラニオプウで、その甥《おい》がのちのカメハメハ一世です。カメハメハは王である叔父《おじ》とともにクックの船を訪れ、大砲などの

ハワイ王国の国旗

★1　広く太平洋を航海した海洋探検家。ハワイ島での先住民との争いで死亡した。

カメハメハ一世像。ローマ人風のポーズと顔立ち。イタリアで制作され、パリで鋳造された。

火器を知ったといわれます。

カラニオプウの死後、カメハメハはハワイ島の支配と全諸島の統一にのりだしました。彼はイギリス人ジョン・ヤング★2を軍事顧問《こもん》に雇《やと》い、大砲や鉄砲を購入します。資金は、自生《じせい》する白檀《びゃくだん》★3の中国への輸出でした。火器★4をそなえたカメハメハ軍はマウイ、ラナイ、モロカイ島などを破竹《はちく》の勢いで支配下におき、一方ハワイ島内の反カメハメハ勢力は進軍中に火山の噴火《ふんか》に巻き込まれ、勢力を失いました。★5 一八一〇年、カメハメハはハワイ諸島を統一し、ハワイ王国初代の王となります。★6

キリスト教を嫌《きら》ったカメハメハが一八一九年に死ぬと、アメリカ合衆国からプロテスタントの宣教師や捕鯨《ほげい》船、サトウキビ農園でもうけようとする人びとがやってきました。

イギリス人やアメリカ人は歴代の王の側近《そっきん》や縁者《えんじゃ》となっただけでなく、ハワイの政治経済を支配する大きな勢力になっていきました。

★2 一七九〇年にハワイ人に拿捕（だほ）されたエレノア号の船員だった。カメハメハ四世の王妃エマは、彼の孫。

★3 独特の芳香があり、仏像や小箱などの細工の素材、香料や薬品として珍重される。大がかりな伐採のため現在はほぼ絶滅した。中国語でホノルルの表記は「檀香山」。

★4 一八〇四年には先込め式のマスケット銃六〇〇、大砲一四門などを保有していたといわれる。

★5 この事件で、カメハメハは火山の女神ペレを味方につけていると評判になった。

★6 「カメハメハ大王」ともよばれた。一八一九年に亡くなったが、伝統に従って秘密に埋葬され、墓の場所は不明とされている。

Q4

ハイチ独立戦争

ラテンアメリカで最初の独立国はどこですか。

A 一七九一年八月、カリブ海のエスパニョーラ島★1の西側、フランス領サン・ドマングで、黒人奴隷《どれい》の大規模な蜂起《ほうき》がおきました。二年前から

★1 コロンブスの到着後、スペイン人がつけた島の名称。スペイン領だったが、その後、島の西側はフランス領サン・ドマングとなった。

つづくフランス革命の自由を求める運動が、植民地の島にもひろがったのです。彼らはフランス人が経営するサトウキビやコーヒーのプランテーションをおそい、奴隷を解放します。一か月間に白人の犠牲者は一〇〇〇人、黒人の犠牲者は一万人をこえたといわれます。スペインとイギリスが出兵し妨害《ぼうがい》しましたが、トゥーサン・ルヴェルチュール★2ひきいる黒人軍は、イギリス軍★3をやぶり、実質的な支配権をにぎりました。フランス本国では国民公会《こくみんこうかい》★4が、一七九四年に奴隷制の廃止を宣言します。

しかしその後権力をにぎったナポレオンは、植民地サン・ドマングの確保と奴隷制の復活を求めました。島は奴隷労働による砂糖、コーヒーの生産地、またフランスの麻《あさ》製品の輸出先として重要でした。一八〇二年はじめ、ナポレオンは義弟《ぎてい》のルクレールを司令官に、二万の軍を派遣《はけん》。トゥーサンがひきいる黒人軍は、正規軍のような組織と規律《きりつ》をもち、ゲリラ戦にもすぐれ、勇猛《ゆうもう》な戦いでフランス軍を苦しめました。しかしトゥーサンは捕《と》らえられ、フランスで獄死《ごくし》します。★5

ナポレオンはふたたび二万五〇〇〇の軍を送りましたが、トゥーサン亡き後、デサリーヌらがひきいる黒人軍は一八〇三年一一月、ついに

ハイチの位置

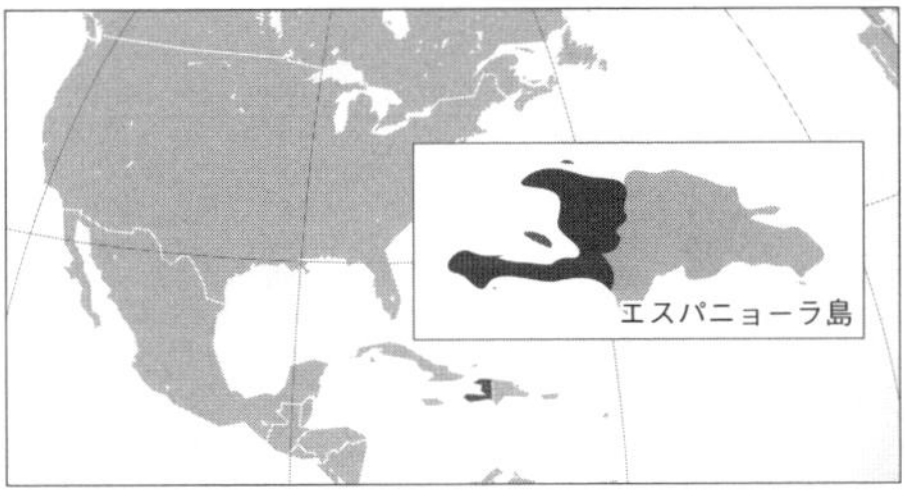

トゥーサン・ルヴェルチュール　憲法二〇〇周年を記念したハイチの二〇グールド紙幣。

★2　（一七四三～一八〇三年）先祖は西アフリカ、ベニンの軍人だったといわれる。当時の解放奴隷では例外的に読み書きができた。

★3　当時イギリスとフランスは戦争状態だったが、プランテーションの所有者は蜂起鎮圧のため、イギリスと手をむすんだ。

★4　国民議会、立法議会につづくフランス革命中の議会。王政廃止と共和政を宣言し、革命をすすめた。

★5　部下の裏切りで捕らえられ、裁判もなく、アルプス山中の要塞の牢獄で拷問をうけた。食事も満足にあたえられず、一八〇三年四月七日肺炎で死亡した。

フランス軍を撤退《てったい》させました。★6 一八〇四年、ハイチ共和国★7の独立が宣言され、アメリカ大陸ではアメリカ合衆国につづく二番目の、ラテンアメリカでは最初の独立国、そして世界最初の黒人共和国となりました。独立戦争では多くの奴隷と白人が死亡しましたが、フランス軍のなかには、黒人の側につき、ハイチに住みついた人もいました。

Q5

南北戦争

リンカンの奴隷解放宣言で戦争になったのですか。

A ちがいます。奴隷解放宣言は、開戦から一年以上も後の一八六三年★1で、解放の対象は南部の州の奴隷だけです★2。しかしこの宣言によって南部の奴隷の逃亡や抵抗が増え、イギリスやフランスも、奴隷制を当然とする南部を支援できなくなりました。宣言は劣勢《れっせい》だった北軍の軍事的戦略といえるでしょう。

リンカンの戦争目的はアメリカ合衆国（連邦《れんぽう》）を維持《いじ》することで、奴隷解放ではありませんでした★3。南部がアメリカから脱退《だったい》して別の国をつくることを認めなかったのです。宣言後、リンカンは黒人解放運動の指導者フレデリック・ダグラス★4が求めてきた黒人連隊★5をようやく認め、多くの黒人がすすんで入隊しました。

★6 フランス軍は熱帯の黄熱病にも苦しめられた。

★7 スペイン人によって絶滅させられた先住民の言葉「アイティー（山の多い土地）」に由来。

★1 このため大統領は前年九月、奴隷解放予備宣言を出した。一八六五年、憲法修正第一三条が成立し、奴隷制は廃止される。

★2 一一の奴隷州のうち、連邦に忠誠を誓い中立の態度をとった四州の奴隷は該当しない。

★3 南部諸州は「開拓によって新しくできる西部の州では、今後奴隷制を認めない」というリンカンに反発。アメリカを脱退し、「アメリカ連合国」をつくった。リンカンの大統領就任後の一八六一年四月、南軍のサムター要塞への攻撃で戦争が開始された。北部と南部のあいだには政治や経済面での対立があり、問題は奴隷制だけではなかった。

★4 （一八一八〜九五年）北部へ逃亡し、自由黒人となった。週刊紙『北極星』を発刊し、奴隷制廃止を主張。黒人奴隷の逃亡を支援する組織「地下鉄道」にも参加し南北戦争後も活動をつづけた。

★5 白人は黒人が武器をもつことを恐れ、容易に実現しなかった。連隊指揮官は白人で、黒人兵士には俸給その他さまざまな差別待遇があり、抗議もおこなわれた。

南北戦争は、しばしば「最初の近代戦争」といわれます。砲撃と銃をもった兵士の突撃で勝敗を決する従来の戦い方が、大きく変わったのです。兵士は塹壕《ざんごう》や土塁《どるい》に隠《かく》れ、命中度が高く射程《しゃてい》が長いライフル（施条《しじょう》）のある後装《こうそう》（元込《もとご》め式）銃が広く用いられました。また、機関銃《きかんじゅう》の前身《ぜんしん》であるガトリング砲が登場し、後装施条の大砲も一部で使われました。[★6]海では鋼鉄艦《こうてつかん》どうしの海戦がおこなわれ、初歩的な潜水艦[★7]や水雷《すいらい》も登場しました。気球による空からの偵察《ていさつ》、電信や写真の活用は作戦を左右し、兵員や物資の大量輸送を鉄道や河川《かせん》交通が担《にな》いました。

北部の勝利で連邦の分裂は避《さ》けられましたが、南北合計六二万人の死者数[★8]は、アメリカの戦争史上最多です。[★9]死因は赤痢《せきり》やマラリアなどの戦病死《せんびょうし》が目立ちました。戦後、黒人は奴隷ではなくなりましたが、経済的な支えはなく、貧困と厳しい差別に苦しみました。[★10]

ガトリング砲

★6　多くの中古兵器が幕末の日本に輸出され、戊辰戦争で使われた。南北戦争では活用されなかったガトリング砲も輸入されている。

★7　南軍の全長一二メートル、八人乗りの潜水艦が、手動でスクリューを回転させ、棒の先の水雷をぶつけて北軍の船を大破した。しかし帰途で沈没。二〇〇〇年に船体がひきあげられた。

★8　南北双方で志願制から徴兵制にかわった。動員兵力は北は一五〇万人、南が九〇万人とされるが、北では代人料を払うなどの富裕層への免責事項があり、反発する暴動がおきた。

★9　第二次世界大戦での戦死者は三二万人。

★10　一八七七年、北軍が南部占領を終えて撤退すると、南部の白人勢力は巻きかえし、黒人は参政権などの権利をつぎつぎにうばわれた。黒人の権利回復は一九六〇年代の公民権運動以降となる。

◆映画『風と共に去りぬ』（一九三九年、ヴィクター・フレミング監督）マーガレット・ミッチェル原作の映画化。空前の大ヒット作だが、今日の視点では問題も多い。

◆映画『グローリー』（一九八九年、エドワード・ズウィック監督）南北戦争で実在した最初の黒人連隊を描く。

◆映画『リンカーン』（二〇一二年、スティーヴン・スピルバーグ監督）南北戦争終結前に憲法修正第一三条（永続的な奴隷制の廃止）の成立を急ぐ、リンカンを描く。

◆映画『ラスト サムライ』（二〇〇三年、エドワード・ズウィック監督）もと北軍士官が明治政府に雇われ、兵士を訓練する。

インド独立戦争（Ｑ３参照）

11 アジア・アフリカ・オセアニアでの戦争

一八世紀から一九世紀にかけて、ヨーロッパ人は軍事力を背景に世界各地に進出し、植民地を築《きず》きました。しかし、植民地化は簡単に進行したわけではありません。アジアやアフリカ、オセアニアの人びとは、ヨーロッパ人の圧倒的な軍事力にたいし、勇敢《ゆうかん》に戦いをいどみました。

Q1 イギリスはどうやってインドを植民地にしていったのですか。

A プラッシーの戦い

イギリスとフランスは、一七五六年から七年《しちねん》戦争★1を戦いました。両国はヨーロッパだけでなく植民地★2でも戦い、インドでは一七五七年にプラッシーの戦いをおこしました。背景にはインドに進出したイギリス東インド会社★3と、フランスが支援するベンガル地方の支配者ベンガル太守《たいしゅ》との対立がありました。英仏はインドの支配権を激しく争っていたのです。

六月二三日、イギリス兵九五〇人、インド人傭兵《ようへい》二一〇〇人のイギリス東

★1　プロイセンに占領されたシュレジエン（現在のポーランド南西部）の奪還をめざしたオーストリアとプロイセンの戦争。オーストリア側にはフランスなどが、プロイセン側にはイギリスがついた。

★2　北米では先住民を巻き込んだフレンチ・インディアン戦争がおこなわれた。

インド会社軍は、歩兵五万人、騎兵一万八〇〇〇人、それにフランス兵が五〇人のベンガル軍と、プラッシーの平原で対峙《たいじ》しました。圧倒的な兵力差ですが、結果はイギリスの楽勝《らくしょう》。ベンガル軍は雨で火薬が水びたしとなり、大砲は使えず、主力の部隊もなぜか戦いませんでした。イギリスはインドの支配権を手にし、フランスは拠点《きょてん》をインドシナ半島へ移します。

勝因はイギリスの策略《さくりゃく》でした。イギリスは、ベンガル軍の司令官の一人を味方にしていたのです。戦後はこの司令官が新しい太守となり、イギリスはキャラコ★4やアヘンだけでなく、米や塩などの取引も独占するようになりました。一七六五年にはムガル皇帝から、ベンガル地方の税の徴収権《ちょうしゅうけん》を、巧妙《こうみょう》にわずかな金額で買い取ります。このためインド人の商人は破産《はさん》し、手工業はおとろえ、農民は重税《じゅうぜい》に苦しむことになりました。

戦いを指揮した東インド会社のロバート・クライヴは、ベンガル知事となり、イギリスのインド支配の基礎を築きます。帰国後は男爵《だんしゃく》になりましたが、インドで不正に財産を築いたと議会で弾劾《だんがい》され、その後アヘン中毒になり、一七七四年にロンドンで自殺しました。

★3　一六〇〇年、エリザベス一世の特許状を得て発足。軍隊をもち、プラッシーの戦い以降は、貿易会社から植民地支配組織となった。

★4　インド産綿布のこと。

イギリスのインド支配

Q2

アヘン戦争

イギリス軍が苦戦したのは、どんな戦いですか。

A 一八四〇年八月までに、イギリスはアヘン戦争★1のために軍艦一六隻《せき》、輸送船二七隻、東インド会社の武装蒸気船四隻、陸軍兵士四〇〇〇人を中国に送りました。イギリス艦隊は林則徐《りんそくじょ》★2が守りを固めている広州《こうしゅう》を避けて、北上します。中国側の木造の帆船《はんせん》にたいしイギリス側は鉄製、大砲の威《い》力《りょく》も段ちがいでした。制海権をにぎったイギリス軍は、圧倒的な火力で沿岸《えんがん》地域を攻撃、占領し、長江《ちょうこう》に入って南京《ナンキン》へとせまりました。こうして一八四二年八月、清《しん》朝は全面降伏して南京条約★3がむすばれました。

イギリス軍が苦戦したのは、「平英団《へいえいだん》」との戦いです。一八四一年五月、イギリス軍は広州城を攻撃して清軍を降伏させ、上陸したイギリス軍の一部が広州郊外《こうがい》の三元里《さんげんり》で略奪《りゃくだつ》、暴行をおこないました。「平英団」とはこのときに生まれた、三元里周辺の村々の一万人もの民衆の集団です。武器は長矛《ながほこ》や大刀などしかありませんでしたが、イギリス軍を圧倒する人数で包囲し、攻撃しました。雨のなかの戦闘でイギリス軍は火砲が使えず、死者二〇〇人余りと多くの負傷者、捕虜《ほりょ》を出しました。

結局、イギリス軍は清朝の役人を使って包囲を解《と》かせ、海上へと撤退《てったい》しました。現在、三元里の公園には、「一八四一年広東人民在三元里反対英帝国

アヘン戦争　1841年、ダンカン作。二作品ある。

★1　アヘン密輸問題をきっかけに、イギリスは中国の貿易体制の打破を名分として戦争にふみきった。イギリス議会は九票差で開戦を認めた。

★2　アヘン密輸の取り締まりで成果をあげたが、イギリスに開戦の口実をあたえる結果となった。

★3　上海など五港の開港、香港の割譲、賠償金の支払いなどを決めた。清が外国とむすんだ最初の不平等条約であった。アヘンについての規定は何もない。

主義侵略闘争犠牲烈士們永垂不朽」と刻《きざ》まれた、高さ五メートルの記念碑《ひ》があります。広州の歴史博物館には、平英団の旗や武器、戦利品のイギリス軍の軍服などが保存され、民衆の抵抗運動を伝えています。

Q3

インド独立戦争

インドの王妃《おうひ》も戦ったのですか。

A プラッシーの戦いから一〇〇年後の一八五七年、東インド会社の傭兵（シパーヒー）がデリー郊外のメーラトの兵営《へいえい》で蜂起《ほうき》しました。★1 きっかけは新式銃の弾薬包《だんやくほう》★2のことでしたが、背景には彼らの出身地である藩王国《はんおうこく》★3のとりつぶしや、軍隊内での給与《きゅうよ》や昇進《しょうしん》などの差別への不満がありました。蜂起したシパーヒーたちは、イギリスに実権《じっけん》をうばわれていたムガル皇帝を擁《よう》立《りつ》し、農民もくわわった蜂起は全インドの三分の二の地域にまでひろがりました。

そして、イギリスのとりつぶし政策に抵抗する藩王国も、反乱にくわわりました。インド西部のジャンシー国の王妃《おうひ》ラクシュミー・バーイーは、乗馬ズボンをはき短剣をつるして先頭でたたかった、インド独立の英雄とされています。★4

しかしイギリスは、指導者のいない反乱側の乱れや藩王たちの思惑《おもわく》を利用

◆映画『阿片戦争』（一九九七年、シエ・チン監督）香港の中国への返還を機に制作された。林則徐を中心に、戦争をリアルに描く。

ラクシュミー・バーイー

★1 「シパーヒー（セポイ）の乱」ともいうが、今日ではシパーヒーだけでなく、多くの民衆や領主層まで参加していることから、民族的反英闘争として「第一次インド独立戦争」「インド大反乱」などとよばれる。

★2 紙製の薬包を口で噛み切る必要があったが、ヒンドゥー教徒にとっては神聖な牛の油や、イスラーム教徒が嫌う豚の油が防湿のため紙に塗られていた。この受け取りを拒否した兵が処罰されたことが、蜂起のきっかけとなった。

して、反撃します。中国から軍隊をよび寄せ、ネパールのゴルカ兵（かつてイギリスと戦ったネパール軍の兵士。勇猛さで有名で、英語ではグルカ）やパンジャーブのシク教徒（かつてシク戦争でイギリスと戦ったが、一方でイスラーム教徒と根深い対立関係にあった）を味方にしたのです。捕虜《ほりょ》となった人びとは、大砲で吹き飛ばされたり、街路樹《がいろじゅ》につるされるなど、むごい方法で処刑されました。捕《と》らえられたムガル皇帝は、家族とともにビルマに流されます。★5

反乱開始の翌一八五八年、イギリスはそれまで実質的にインドを支配してきた東インド会社を解散し、インドを国王直属《ちょくぞく》★6の植民地とします。一八七七年にはヴィクトリア女王を女帝とするインド帝国が成立し、イギリスのインド支配はより強固になりました。

★3　イギリスが従来の支配者を認め、間接統治した国で、その数約六〇〇、インドの面積の四割以上を占めた。

★4　一八五八年に戦死、三一歳とされる。イギリス軍も勇敢な行動に敬意を表した。

★5　これによりムガル帝国は名実ともに滅亡した。

★6　イギリスにはインド省と担当大臣がおかれ、現地ではイギリス人の総督がインド大臣の指令をうけて統治した。反乱後は強圧的な支配を避け、宗教や民族を利用してインド人どうしの対立をつくり統治する、「分割統治」がおこなわれた。

Q4 マオリ戦争

ニュージーランドの先住民は、イギリスと一〇年以上戦ったのですか。

A ニュージーランド★1では、一九世紀後半になるとヨーロッパからの移民が増え、入植者たちは自分たちの土地を求めました。★2このため一八六〇年から七〇年代の前半まで、先住民のマオリとイギリスのあいだで一〇年以上にわたる戦争がおきました。きっかけは土地の売却をめぐる、北島西海岸タラナキ地方★3の首長ワイレム・キンギと植民地政府の対立です。一八六〇

★1　一七世紀に訪れたオランダ人タスマンが、故郷のゼーランド地方にちなんで「新しいゼーランド」と命名した。一八四〇年にイギリス領となる。

年、土地売却に反対するキンギが政府の土地測量《そくりょう》を妨《さまた》げたという理由で、軍隊が派遣されました。マオリ王★4ポタタウ一世はキンギを支持し、王国連合が一致してイギリスと戦うことになりました。

一八六三年に入り、戦いはタラナキから中部のワイカト地方へと移り、イギリス本国と植民地政府の軍一万二〇〇〇人が投入されます。イギリス軍や植民地政府軍が新式の銃や小型砲艦《ほうかん》をもつのにたいし、マオリには棍棒《こんぼう》や槍《やり》、旧式の銃しかありません。しかし武器と兵員で勝《まさ》るイギリスと政府側は、地理に明るく果敢《かかん》に立ちむかうマオリ軍に苦戦しました。植民地政府は反乱鎮《ちん》圧《あつ》法を公布し、戦いに参加しているマオリを「反乱民《はんらんみん》」として、ワイカト地方やタラナキ地方の土地を没収《ぼっしゅう》しました。

マオリ側はゲリラ戦を展開しましたが、一八七二年キンギはついに降伏します。マオリ側の犠牲者は二〇〇〇人、イギリス・植民地政府側は一〇〇〇人といわれます。戦争の結果、マオリが所有する土地は激減し★5、マオリの伝統文化の多くも失われました。マオリが勇敢《ゆうかん》に戦って敗れたことは、いまでも悲痛な思いで語られます★6。

★2　一八四〇年のワイタンギ条約で、マオリにイギリスの主権を認めさせて植民地とし、土地などのマオリの権利を保障した。条約によれば、入植者の土地購入はマオリが土地売却を希望する場合のみ可能とされた。しかし条約はしだいに無視され、マオリは危機感をもった。

★3　土地売却派と反対派の対立があり、キンギは反対した。

★4　一八五八年にマオリ王国連合が成立、王を選出した。

★5　一九九五年、マオリの土地返還請求に対し、土地返還、公式謝罪、補償金支払いをすることで、ニュージーランド政府との和解が成立した。

★6　当時も、この戦争は不当だとマオリに同情するイギリス兵が多かったといわれる。

オークランドにあるマオリ戦争記念碑

Q5

サモリ帝国の戦い

西アフリカでフランスの侵略と戦った人がいるのですか。

A

一九世紀、西アフリカ内陸部には小さな国がいくつもありました。これらの国々をむすんで活躍したのが「ジュラ」とよばれるイスラーム商人です。★1 サモリ・トゥーレはこのジュラ商人から軍人になり、イスラーム教を国教とする差別のない国づくりをめざしました。

サモリは周辺のいくつもの小国を従え、また同盟をむすんでサモリ帝国★2を形成します。その帝国を支えたのが強大な軍事力でした。戦時には一〇万人、平時には常備《じょうび》軍として歩兵三万人、騎兵隊三〇〇〇人を有したといわれます。銃と馬はジュラ商人から手に入れましたが、馬のために牧場がつくられ、鍛冶《かじ》屋はフランスの銃生産技術を学んで武器の生産を開始しました。

サモリ帝国とフランスの戦いは、一八八二年からはじまりました。フランスが西アフリカのセネガルから、内陸部への鉄道建設と砂金《さきん》を求め、侵入してきたのです。断続的《だんぞくてき》な戦いが二〇回以上おこなわれました。そして一八八五年フ

★1 代表的な商品は、サハラの岩塩、清涼・栄養剤とされたコカの実、馬。

★2 サモリ・トゥーレの指導で形成されたサモリ王国周辺の勢力圏。「帝国」の住民は一〇〇万人といわれる。

サモリ帝国の戦い

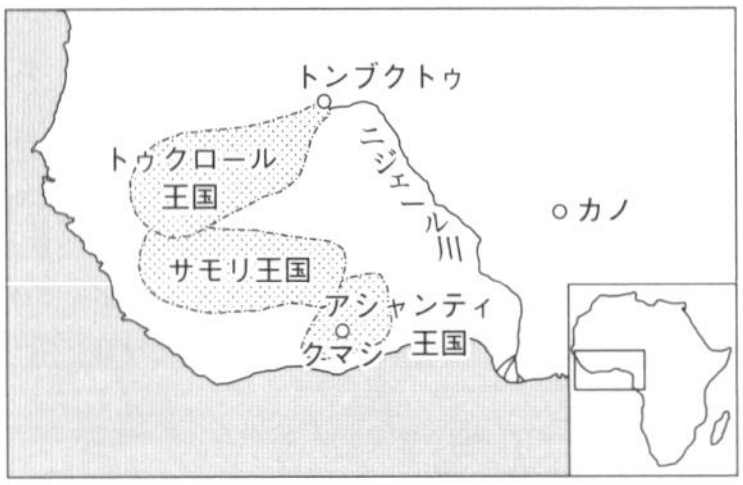

サモリ・トゥーレ

ランスは、砂金の産地をサモリ帝国のものと認め、通商条約をむすんで休戦します。しかしその約束はやぶられ、戦いがつづきました。フランス軍は近代兵器をもちながら、サモリ軍のゲリラ戦法によって決定的な勝利を得られません。また帝国内の対立をねらった分断工作も、成功しませんでした。

やがてフランス軍は、小さな国々を一つずつ撃破《げきは》していきます。サモリも追いつめられ、一八九八年に捕らえられました。★3 フランスの新聞はサモリを「西アフリカの野蛮《やばん》人」と書きました。★4

★3　西アフリカのガボンに幽閉され、一九〇〇年に亡くなった。のちにギニアをフランスからの独立に導いた指導者セク・トゥーレは、サモリ・トゥーレの曽孫といわれる。

★4　ヨーロッパ人はアフリカで民族の英雄とたたえられる人物を、しばしば野蛮で残忍な人物と宣伝した。

パリ・コミューンで築かれたバリケード（Q４参照）

12 一九世紀の戦争

フランス革命の後、ヨーロッパには自由と平等を求める動きがひろがりました。しかしそれは国王や皇帝が支配する多くの国には、ゆるせないことでした。二つの動きは国家間で、また国内でも対立し、戦いとなりました。そのころ日本でも、幕府をたおし、新政府のもとに統一国家をつくろうとする動きがはじまりました。

Q1 ナポレオン戦争

「ゲリラ戦」はスペインで生まれたのですか。

A 皇帝ナポレオンは連戦連勝、ヨーロッパの支配をひろげていきました。

彼の軍隊は一分間に一二〇歩★1という進軍《しんぐん》の速さで機動力があり、短期決戦を得意としました。その戦いはフランス革命の自由と平等の精神をヨーロッパ各地にひろめましたが、一方で軍は各地で殺戮《さつりく》や略奪《りゃくだつ》を重ね、抑圧《よくあつ》者、支配者としての性格を強めていきました。

一八〇八年、フランス軍はスペイン★2で、はじめて正規軍《せいきぐん》ではない民衆を敵

★1　それ以前の軍隊は一分間に七〇歩の速さだった。

★2　一般に半島戦争とよばれる。司令官はナポレオンの腹心で義弟のミュラ元帥。ポルトガルに上陸したイギリス軍もゲリラと協力し、フランス軍と戦った。スペインでは独立戦争とよばれる。

にしました。ナポレオンが自分の兄をスペイン国王に任命したからです。彼らは棍棒《こんぼう》や短刀、包丁など粗末《そまつ》な武器しかない市民や農民でしたが、少人数であちこちに出没《しゅつぼつ》しては攻撃し、フランス軍を消耗《しょうもう》させました。「ゲリラ」とはスペイン語で「小さな戦争」を意味する言葉で、小さな戦闘を断続的に、ねばり強くつづける「ゲリラ戦」は、この民衆の闘《たたか》いから生まれました。

スペインの画家ゴヤの大作「一八〇八年五月三日」は、フランス軍に銃殺されるマドリード市民を描いた有名な作品です。しかしゴヤはまだほかに、八二枚もの銅版画《どうばんが》を、★3ひそかに残しました。それは双方がおこなった残酷《ざんこく》な処刑や拷問《ごうもん》、略奪、死体の切断、レイプ、飢餓《きが》など凄惨《せいさん》な絵で、現代の戦場写真のようです。フランス軍はゲリラは正規軍ではないからといって、またゲリラ側は仲間の死の報復《ほうふく》として、たがいに虐殺《ぎゃくさつ》をエスカレートさせました。

一一月、ナポレオンは一八万の大軍をひきいてスペインに乗り込みましたが、決着はつきません。フランス軍はスペインに釘《くぎ》づけとなり、いくつもの戦争をかかえていたナポレオンには、大きな痛手《いたで》となりました。フランス軍の撤退《てったい》完了は、六年後の一八一四年六月。このとき彼はもう皇帝ではありませんでした。

ゴヤ「一八〇八年五月三日」

★3 版画集「戦争の惨禍」。銅板に刻んだ一連のエッチング。

◆映画『戦争と平和』（一九五六年、キング・ヴィダー監督）トルストイの小説『戦争と平和』の映画化。オードリー・ヘプバーン、ヘンリー・フォンダ、メル・ファーラー主演。ソ連が国家をあげてつくった同名の『戦争と平和』（一九六五年、セルゲーイ・ボンダルチューク監督）は、六時間をこえる超大作。

◆映画『ワーテルロー』（一九七〇年、セルゲーイ・ボンダルチューク監督）ワーテルローの決戦を描く壮大な作品。

Q2

ギリシア独立戦争

ドラクロアはなぜ「キオス島の虐殺《ぎゃくさつ》」を描いたのですか。

A

一八一四年、オスマン帝国からのギリシア独立をめざす秘密結社《ひみつけっしゃ》フィリキ・エテリア[★1]が、オデッサ[★2]のギリシア商人によって結成されました。一八二一年にはイプシランディス[★3]を指導者にモルドヴァ[★4]で挙兵《きょへい》しますが、期待したロシアの支援が得られず、鎮圧《ちんあつ》されました。

これが契機《けいき》となって、独立をめざす蜂起《ほうき》がペロポネソス半島でもおこり、イスラーム教徒が虐殺《ぎゃくさつ》されると、それにたいする報復的なキリスト教徒虐殺がつぎつぎとおこりました。ギリシアの他の地域でも蜂起がおこり、一八二二年一月、国民議会の代表たちによってギリシア共和国の独立が宣言されます。しかし共和国の前途《ぜんと》は多難《たなん》で、独立戦争がつづけられました。

一八二二年四月、オスマン帝国に協力するエジプト軍が、エーゲ海のキオス（シオ）島で、独立派と一般市民に対する大虐殺をおこないました。九万人の人口の九割が殺害、あるいは奴隷として連れ去られたといわれます。ヨーロッパはこの事件に大きな衝撃を受けました。ギリシアはヨーロッパ文化の故郷であるという意識と、イスラーム教徒の異民族の支配に抵抗するギリシアへの共感が、知識人を中心にわきおこったのです。

独立運動に共鳴《きょうめい》したイギリスの詩人バイロンは、義勇兵《ぎゆうへい》となってギリシア

★1 「友愛協会」という意味。

★2 ウクライナの黒海に面した港湾都市。

★3 （一七九二〜一八二八年）ロシア軍に参加、フィリキ・エテリアの指導者となる。

★4 現在のルーマニアとモルドヴァ共和国にまたがって存在した公国。

ドラクロア「キオス島の虐殺」

に赴《おもむ》きましたが、戦う前に病死しました。またバイロンに心酔《しんすい》していたフランスの画家ドラクロアは、「キオス島の虐殺」で、濃《こ》い青色の海を遠景《えんけい》に、前方に横たわる島民の死体、傷つき呆然《ぼうぜん》とする半裸《はんら》の男女や母子、女性をさらう馬上の敵兵を大きく描きました。縦四メートルもの巨大な絵は、リアルな描写と遠近法《えんきんほう》で迫力にあふれ、人びとを驚かせました。虐殺への激しい抗《こう》議《ぎ》と、ギリシアを支援する熱情にあふれた作品は、報道写真のない時代に人びとに強く訴《うった》え、独立支持の世論を大いに高めました。★5

Q3 クリミア戦争

ナイチンゲールはどんな看護活動をしたのですか。

A 一八五三年、ロシアはオスマン帝国領内のギリシア正教徒《せいきょうと》の保護を名目《めいもく》に、オスマン帝国と戦争をはじめました。★1 ロシアを警戒《けいかい》するイギリスとフランスは、オスマン帝国を支援して参戦します。★2 ロシア軍は帆船《はんせん》で英仏両国の蒸気船に対抗しますが、火器類★3の性能も劣《おと》るうえ、鉄道網《てつどうもう》も未整備で、物資《ぶっし》の調達《ちょうたつ》や兵員不足も深刻な問題となりました。

戦いの焦点《しょうてん》は、ロシア軍五万がたてこもるクリミア半島の、セヴァストーポリ要塞《ようさい》の攻防でした。五万をこえる大軍を半島に上陸させた英仏軍も、補《ほ》給《きゅう》がむずかしく、約一年間の戦いの末、ようやく一八五五年八月に要塞を陥《かん》

★5 独立支援の世論によって、フランス、イギリス、ロシアが介入し、一八三〇年にギリシアのオスマン帝国からの完全独立が合意され、三二年に完全独立が承認された。

★1 ロシアはオスマン帝国の衰退を、黒海の南に進出するチャンスとした。

★2 サルデーニャ王国も英仏側で参戦、戦争はロシア対オスマン帝国・イギリス・フランス・サルデーニャ王国の連合国という図式となった。

★3 ロシア軍の多くが精度の低い従来のマスケット銃（銃身内に溝のない銃）を用いたのにたいし、英仏軍はミニエー銃（溝によって飛距離を伸ばした施条銃）を装備していた。

落《らく》させました。両軍は戦病死者をふくめ、多数の犠牲者を出しました。★4要塞陥落はロシアに衝撃をあたえ、戦争はロシアの敗北で終わります。

　開戦の翌年、イギリスのフローレンス・ナイチンゲール★5は、修道女《しゅうどうじょ》を主とする看護婦三四人をひきいて、スクタリ★6の野戦病院に赴任《ふにん》しました。新兵器の爆裂型《ばくれつがた》砲弾や強力な円錐形《えんすいけい》銃弾★7があたえた被害は凄惨《せいさん》で、病院内の不衛生《ふえいせい》や伝染病、寒さや飢《う》えも、傷病《しょうびょう》兵を苦しめていました。しかし衛生や食事の改善を求めても、現地のイギリス軍は受け入れません。将校たちは貴族の出身でしたが、兵士は貧《まず》しい階層の出身で、将校は兵士を大切にはしなかったのです。

ナイチンゲール

　富裕《ふゆう》な階層出身の彼女は、自費でベッドやシーツ、包帯《ほうたい》や食料などを購入し、料理人まで雇《やと》います。また政治家との人脈を通じて、軍の協力をうながしました。その結果、死者や傷病兵は激減し★8、新聞報道や兵士の手紙、帰還《きかん》兵《へい》から彼女の活躍を知ったイギリスでは、熱狂的な賞賛《しょうさん》が生まれました★9。その後、当時は低く見られていた看護の仕事が見直され、看護教育もすすみました。看護学校を設立した彼女の目標が、「献身《けんしん》的で従順《じゅうじゅん》な看護婦」ではなく、「自立した専門職の看護婦」の育成であったことは、とても重要です。

★4　英仏軍の死者は戦病死をふくめ一万をこえ、ロシア軍の死者数は英仏軍をはるかに上回るとされる。この戦いに砲兵少尉として参加したトルストイは、体験をもとに小説『セヴァストーポリ』を書いた。

★5　(一八二〇〜一九一〇年) 帰国後、看護教育、社会衛生改革、機能的な病院建築をすすめた。

★6　現在のウシュキュダル。トルコのイスタンブルのアジア側の地区。

★7　ロシア軍は球形弾だけでなく、円錐形銃弾も用い、一八五五年春以降は英仏軍の二倍の重さの銃弾を採用した。

★8　ナイチンゲールはすぐれた統計学者でもあった。「激減」を示した独特の円グラフは有名。

★9　夜に病床をまわる彼女を、兵士たちは「ランプをもった貴婦人」とよんだ。着衣は白衣ではなく「白衣の天使」ではないが、そのイメージは第一次世界大戦時、中流階級以上の女性に看護師を志願させた。

Q4

普仏《ふふつ》戦争

ドイツ軍がパリ・コミューンをつぶしたのですか。

A ちがいます。パリ・コミューンをつぶしたのは、ティエールを行政《ぎょうせい》長官《ちょうかん》とする、フランスの臨時《りんじ》政府でした。

一八七〇年の普仏《ふふつ》戦争★1では、スダンの戦いで皇帝ナポレオン三世が降伏《こうふく》して捕虜《ほりょ》となり、第二帝政が崩壊《ほうかい》しました。ドイツ軍★2に包囲《ほうい》されたパリの民衆は戦争継続《けいぞく》を主張しましたが、一八七一年二月の総選挙★3では、早期和平を求めるティエールの臨時政府が成立。その仮《かり》講和条約は屈辱《くつじょく》的な内容★4で、民衆には受け入れがたいものでした。政府がパリ民衆の反抗を恐れ、国民衛兵《こくみんえいへい》★5の武装解除《ぶそうかいじょ》を命じると、民衆は武器を手に立ちむかいました。ティエールはヴェルサイユに逃げ出します。

三月、パリで市議会選挙がおこなわれ、パリ・コミューンとよばれる革命的な自治《じち》政府が生まれました。世界史上初の、労働者などの民衆による自治政府です。自治政府は臨時政府から自立し、三権分立制をとらず、公務員の選挙とリコール制、労働者による職場の自主管理、常備《じょうび》軍の廃止、政教分離などをうちだしました。しかしコミューン内には対立があり、他の都市のコミューン★6運動とは連絡がとれませんでした。

四月、ヴェルサイユの臨時政府はドイツの支援をうけて、攻撃を開始。コ

★1 ドイツ統一をめざすプロイセンと、ナポレオン三世のフランスのあいだでおこなわれた戦争。プロイセンのビスマルクの挑発により、フランス側から開戦した。

★2 戦争中の一八七一年、パリ攻囲中にプロイセン国王はヴェルサイユ宮殿でドイツ帝国の皇帝戴冠式をおこない、ドイツ帝国の成立を宣言した。

★3 正式な講和条約の調印は一八七一年五月。

★4 賠償金支払いとアルザス・ロレーヌの割譲、ドイツ軍のパリへの一時入城など。

★5 フランス革命時に、従来の常備軍にかわり、パリなどで組織された民兵組織。

★6 マルセイユ、リヨンなどでもコミューンが結成されたが、短期間で鎮圧された。

ミューンには大砲や弾薬が少なく、指揮系統《しきけいとう》も混乱していました。五月二一日には臨時政府軍がパリに突入、激しい市街戦《しがいせん》となりました。老人や子どもがバリケードをつくり、女性も武器を手に戦いました。臨時政府軍は捕虜をつぎつぎと処刑します。多数の民衆が虐殺され、五月二七日、ペール・ラシエーズ墓地★7の戦いの全滅で、すべての抵抗が終わりました。この一週間は「血の週間」とよばれます。★8ティエールの政府はその後も弾圧をつづけ、約四万人が逮捕され、死刑や強制労働、流刑《るけい》に処せられました。

★7　約二〇〇名の兵士が立てこもっていたが、全員殺害された。現在、コミューン派の銃殺に使われた壁が「連盟兵の壁」とよばれて残されている。

★8　パリ・コミューン全体の犠牲者は一万五〇〇〇人以上ともいわれる。

Q5

戊辰《ぼしん》戦争

「偽《にせ》官軍」とは、何をした人たちですか。

A　一八六七年、一五代将軍徳川慶喜《よしのぶ》が大政奉還《たいせいほうかん》すると、倒幕《とうばく》派は旧幕府勢力を排《はい》し、天皇を中心とする新政府を樹立しました。慶喜には処分が下り、旧幕府側は反撃しましたが鳥羽《とば》・伏見《ふしみ》の戦い★1で敗れ、慶喜は江戸に逃れました。

新政府は、慶喜を「朝敵《ちょうてき》」★2として東征《とうせい》軍（官軍）★3を江戸にむかわせました。しかし新政府には兵力も軍資金も、まったく足りません。そこで利用されたのが、草莽《そうもう》★4の人びとでした。彼らは各地で草莽隊を結成し、官軍の一部として活動し、新政府にたいする民衆の支持を集める働きをしたのです。

★1　幕末の戊辰戦争の最初の戦い。一八六八年正月、大坂にいた旧幕府軍が京都に進撃し、近郊で薩長の新政府軍と戦い、敗れた。

★2　天皇、朝廷の敵。

★3　天皇の軍隊。東海道軍、東山道軍、北陸道軍で合計約一万余人。よくいわれる五万という数字には根拠がないとされる。

★4　「草むら」の意。地位もなく、名前も知られない民間、在野の人をさす。尊王攘夷思想などにもとづいて行動した。

そのひとつ、相楽総三《さがらそうぞう》がひきいた赤報隊《せきほうたい》★5は、薩摩藩《さつまはん》の西郷隆盛の支援をうけ、一八六八年に結成されました。赤報隊は新政府の許可を得て、京都から東山道《とうさんどう》をすすむ官軍の先鋒《せんぽう》、先駆《さきが》けとして、各地で「御一新《ごいっしん》」と「年貢《ねんぐ》半減★6」を告げていきます。「年貢半減」は、農民の世直し一揆★7の要求のひとつでもありました。ところが彼らが下諏訪《しもすわ》に着くと、相楽らは官軍を名のる「偽《にせ》官軍」だと逮捕され、何の取り調べもなく処刑されてしまったのです★8。

「年貢半減」は確かに新政府の公約でした。しかし、心配した大きな抵抗もなく、諸藩が新政府側につくことがわかると、新政府はこの公約を取り消しました。新政府は三井《みつい》などの大商人から、軍資金調達のために借金をしていました。商人たちは貸した金が必ず返済されるように、「年貢半減」の取り消しを求めたと考えられます。そのため新政府は、「年貢半減」は相楽らが勝手にふれまわったことだ、相楽らは官軍の名を使い略奪をした偽物の官軍だ、と汚名《おめい》をきせて処刑したのです。

赤報隊の構成員は約三〇〇人、一般農民もいますが、中心は下級武士や豪《ごう》農《のう》、豪商《ごうしょう》などでした。明治維新の変革は、彼ら無名の草莽が下から支えたと指摘されます。幕末の対外危機と国内の幕藩体制の動揺《どうよう》のなかで、主体的に変革を模索《もさく》した人びとを、新政府の指導部である薩長《さっちょう》の討幕《とうばく》派は利用し、勝ち目が見えると邪魔《じゃま》な存在として切り捨てたのです。

★5　「赤心をもって国恩に報いる」から命名。三隊のうち相楽は一番隊をひきいた。
★6　年貢を半分に減らすこと。
★7　幕末から明治にかけて、世直し（社会的変革）を求める百姓一揆が頻発した。一八六六年には、江戸時代最多の一〇〇件をこす一揆がおこった。
★8　下諏訪において相楽ら幹部八名が斬首、その他は追放となった。その後も残った隊員の処刑・処罰がおこなわれた。

下諏訪町にある魁塚（さきがけづか）。一八七〇年、同志によって処刑地に建立された

◆映画『赤毛』（一九六九年、岡本喜八監督）百姓あがりの赤報隊の隊士権三を、三船敏郎が主演。赤報隊の活躍と新政府の裏切りを描く。

日清戦争の日本軍（Ｑ１参照）

13 帝国主義の時代

一九世紀の末から、世界は帝国主義の時代に突入します。帝国主義とは、欧米列強や日本が、植民地や勢力圏の獲得競争をおこない、世界を分割《ぶんかつ》していった動きのことです。欧米列強はアフリカから、アジア・太平洋・カリブ海地域へつぎつぎと植民地や勢力圏を拡大し、日本もその後を追いました。

Q1

日清戦争

なぜ朝鮮が戦場になったのですか。

A 日清戦争の主戦場は、朝鮮半島です。最初の軍事行動は、一八九四年七月二三日未明《みめい》の、日本軍による漢城《ハンソン》★1の朝鮮王宮攻撃★2でした。日本軍は王宮を占領し、国王を監禁《かんきん》。親日《しんにち》派政権を樹立《じゅりつ》して、牙山《アサン》に駐屯《ちゅうとん》する清国軍を追い出すため、南下します。二日後の二五日には、海軍が豊島《プンド》沖で清国艦隊を攻撃。陸でも海でも、日本軍は清国軍を圧倒していきました。

当時朝鮮には、日清両国の軍隊が駐屯していました。朝鮮政府はこの年二

★1　現在のソウル。
★2　日本の公刊戦史などでは、日本軍にたいし王宮から発砲があり、余儀なく反撃して国王を保護したとされてきた。しかし一九九四年、参謀本部による『日清戦史』の草案が発見され、事実が明らかになった。

月、農民たちが政治改革を求めておこした甲午《こうご》農民戦争を鎮圧《ちんあつ》できず、清に出兵を依頼したのです。日本はこの要請《ようせい》を知ると、居留民《きょりゅうみん》の保護を名目に、閣議《かくぎ》で出兵を決定し★3、朝鮮に大軍を送り込みました。外国軍の介入《かいにゅう》に危機感をもった農民軍は、六月に朝鮮政府と全州《チョンジュ》和約をむすんで休戦し、朝鮮政府は日清両軍に撤兵《てっぺい》を要求します。しかし、日本は聞き入れませんでした。

八月一日、日本は清に宣戦布告。開戦理由は「東洋平和のため」でした。日本軍の進撃がつづくなか、全琫準《チョンボンジュン》を指導者とする農民軍は、各地でふたたび蜂起《ほうき》しました。日本軍は漢城をおさえ、農民軍の掃討《そうとう》をはじめます。農民軍には朝鮮軍の一部もくわわり、数万に増えました。全州から漢城にむかう要衝《ようしょう》の公州《クァンジュ》では、激戦が展開され、農民軍は多数の死傷者を出しました。全琫準も捕《と》らえられ、処刑されます。

日本軍侵攻後の甲午農民戦争の農民軍犠牲者は、三万人以上ともいわれます。日本軍はその後、清国領内に侵入し、旅順《りょじゅん》で虐殺《ぎゃくさつ》事件★4をおこしました。また下関《しものせき》条約で日本に割譲《かつじょう》された台湾では、植民地化に抵抗した人びとを多数殺害しました★5。

日清戦争関係図（台湾を除く）

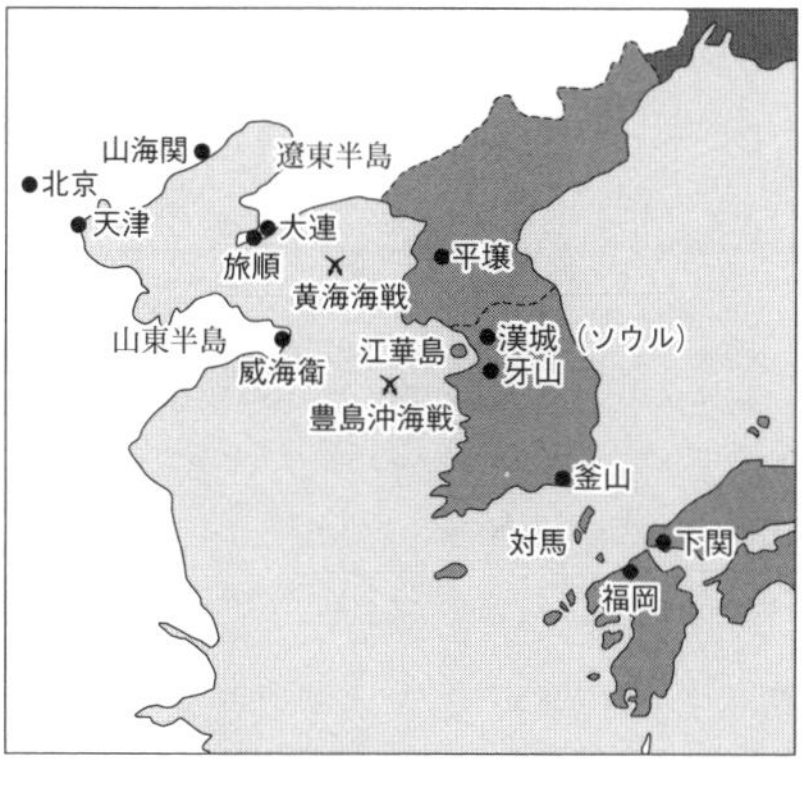

★3　出兵の口実は一八八二年の済物浦（さいもっぽ）条約。認められた駐兵は若干だったが、日本は八〇〇〇人の混成旅団を編成した。さらに日清間でむすんだ天津条約では、日清両国あるいは一国が出兵する場合の相互事前通告を規定していた。閣議決定は清の出兵通告前だった。

★4　民間人をふくめた犠牲者数は確定しないが、中国では二万人弱とする。

★5　軍民合わせて一万四〇〇〇人以上と推定される。

◆映画『餘生～セデック・バレの真実』（二〇一三年、タン・シャンジュー監督）日清戦争後、日本は植民地台湾での抵抗を武力でおさえた。本作は一九三〇年セデック族の男たちの蜂起で多くの日本人が殺された、霧社事件のドキュメンタリー映画。

Q2

米西戦争

「すばらしい小さな戦争」とは何ですか。

A 米西（アメリカ＝スペイン）戦争は、キューバのスペインからの独立戦争（革命）に、アメリカが介入した戦争です。一八九八年二月一五日、キューバのハバナ港でアメリカ海軍の軍艦メイン号が爆発・沈没し[★1]、乗員二六六名が亡くなりました。爆発の原因は不明でしたが、アメリカの新聞はスペインのしわざと主張。「メイン号を忘れるな（リメンバー・ザ・メイン）」というスローガンで国民をあおり、スペインとの戦争をはじめました。アメリカ財界はキューバの砂糖業の利権をねらっていたのです[★2]。

戦場は同じスペインの植民地、太平洋のフィリピンに飛び火しました。フィリピンのマニラ湾では、アメリカ太平洋艦隊が旧式のスペイン艦隊を撃破《げきは》し、その後独立をめざしていたフィリピン革命軍[★3]を利用してマニラを占領します。一方、キューバではサンティアゴ攻略がめざされ、アメリカ軍一万六〇〇〇がキューバ革命軍を支援して上陸。海軍は、サンティアゴ港脱出をはかったスペイン艦隊を撃破しました。戦争はわずか四か月で終わり、アメリカはフィリピン、グアム、プエルトリコを手に入れます[★4]。キューバは独立しましたが、アメリカの保護国[★5]とされ、事実上の植民地となりました。アメリカはこうしてはじめて海外の植民地を手に入れ、国務長官のジョン・ヘイは

★1 アメリカの権益を守るという名目で派遣されていた。軍艦の弾薬庫爆発の原因には諸説あるが、燃料の石炭の自然発火説が有力。

★2 先住民の制圧を終えたアメリカ軍も、つぎの任務を求めていた。

★3 香港に亡命していた独立運動の指導者アギナルドは、アメリカの軍艦で帰国し、フィリピン人にスペインとの戦闘の再開をよびかけた。

★4 一八九八年一二月にパリで講和条約がむすばれた。また、一八九三年のクーデターで白人の親米政権が生まれていたハワイを、戦争中に併合した。

★5 キューバ憲法には、キューバの外交権の制限やアメリカの海軍基地建設権、内政干渉権などが盛り込まれた。グアンタナモ基地は永久租借となり、キューバの返還要求にもかかわらず、いまだ返還されていない。

★6 フィリピン・アメリカ戦争（一八九九～一九〇二年）

この戦争を、「すばらしい小さな戦争」とよびました。

　戦後フィリピンではアメリカにたいする独立戦争がおこり、アメリカは一二万の大軍を送って、多くの人びとを虐殺しました。★6 黒人兵士のなかには、敵の殺害を拒否した兵士もいました。平定《へいてい》は四年後の一九〇二年。フィリピンはアメリカのアジア進出の拠点《きょてん》★7となりました。一方アメリカでは、こうした帝国主義政策に反対する人びとの運動も生まれました。

Q3 南アフリカ戦争

イギリスとアフリカ人の戦争ですか。

A ちがいます。イギリス人とブール人との戦争で、ブール人★1とは先に入植《にゅうしょく》していたオランダ系白人です。南アフリカのケープ植民地★2を築《きず》いたのはオランダ人ですが、一九世紀はじめにイギリス領となったため、ブール人は先住アフリカ人の土地をうばい、奥地にトランスヴァール共和国とオレンジ自由国★3をつくりました。南アフリカ戦争はこの二つの国にたいする戦争です。原因は、一九世紀後半に、ここで発見された金《きん》とダイヤモンドでした。
　一八九九年一〇月、イギリス軍九万人がトランスヴァールに侵入しました。イギリスはこの戦争は六週間で終わると考えていましたが、ブール人の抵抗は激しく、レディスミスではイギリス軍が包囲《ほうい》され一〇〇〇人近い捕虜《ほりょ》を出

★7　『トム・ソーヤーの冒険』で知られる作家マーク・トウェイン（一八三五～一九一〇年）は、アメリカの武力干渉をするどく批判した。また、黒人兵士のなかには、同じ有色人種であるフィリピン人への殺戮、残虐行為に抵抗する兵士もいた。一八九八年にはボストンで「反帝国主義者連盟」が組織され、フィリピンの植民地化に反対した。

★1　または「ボーア人」、オランダ語で「農民」を意味する。入植したオランダ人などの末裔（まつえい）にたいする、イギリス側からの差別語。入植者自身は「アフリカーナー」と自称した。

★2　一七世紀にオランダ東インド会社が建設、一八一四年にイギリスに割譲。

★3　トランスヴァール共和国は一八五二年、オレンジ自由国は一八五四年に建国された。

しました。イギリス本国は度重《たびかさ》なる敗北の知らせに驚き、一八万の大軍を送り込んで、一九〇〇年三月にオレンジ、六月にはトランスヴァールの首都を陥《かん》落《らく》させました。

しかしその後もブール人のゲリラ戦による抵抗がつづいたため、イギリスはさらに二四万人の大軍を送ります。ゲリラ対策として三万の農場を焼きはらい、牛や羊を殺し、穀物《こくもつ》を焼くという焦土《しょうど》作戦をとりました。ブール人の非戦闘員は、一〇万人以上が不衛生《ふえいせい》で食事の劣悪《れつあく》な強制収容所に入れられ、二万人が死亡したといわれます。イギリスは国際的な非難も無視し、莫大《ばくだい》な軍事費と人命を犠牲にして、金とダイヤモンドの産地を手に入れたのです。★4

ズールー人★5など一部のアフリカ人は、長年のブール人との対立から兵士や労働者としてイギリスに協力しましたが、★6見返りはありませんでした。のちにイギリスとブール人は妥協《だきょう》し、★7アフリカ人を差別するアパルトヘイト政策★8がつくられていきました。

南アフリカ戦争関係図

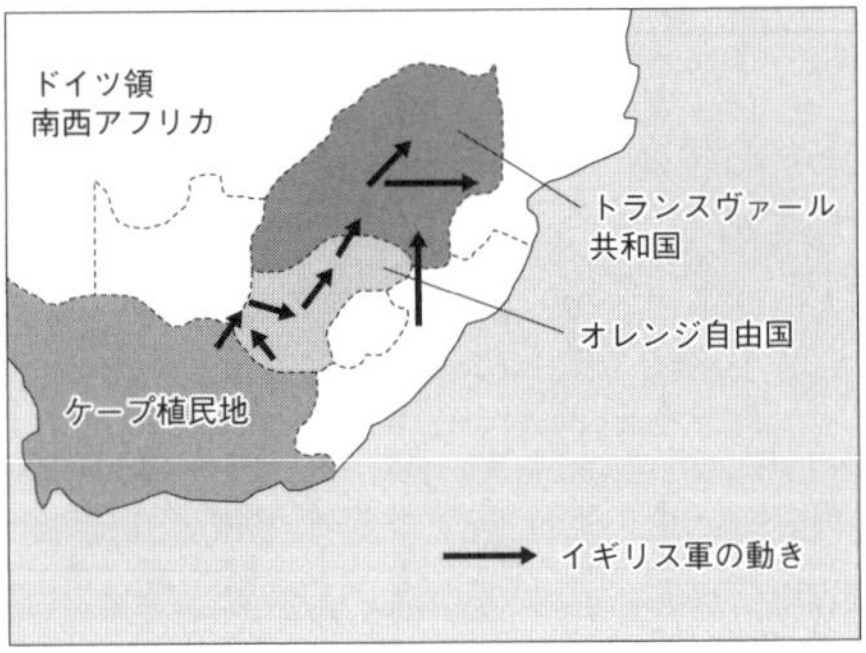

★4　軍人ベーデン・パウエルはこの戦争体験から、少年たちに野外教育をほどこすボーイ・スカウト運動にとりくんだ。

★5　ズールー人は南アフリカ最大の民族集団。一九世紀初頭には王国を建て、一八七八～七九年のイギリスとの戦いでは、再三イギリス軍をやぶったが最終的には敗北した。

★6　一万人以上とされる。

★7　一九〇二年に講和条約がむすばれ、トランスヴァールとオレンジは直轄植民地とされたが、まもなく自治を認められ、一九一〇年にはケープなどと南アフリカ連邦を構成した。

★8　貧困白人層となったブール人の不満を吸収し、経済的に救済した。

◆映画『ズール戦争』（一九六四年、サイ・エンドフィールド監督）一八七九年のイギリスとズールー王国の戦いを描く。『ズールー戦争　野望の大陸』（一九七九年）は、ズールー軍にイギリスが大敗したイサンドルワナの戦いを描く。

Q4 義和団《ぎわだん》戦争

「義和団事件」とよぶのではないのですか。

A 日清戦争で清が敗北すると、列強は中国での勢力拡大にとりかかりました。警戒《けいかい》した中国では一八九九年、抵抗運動が山東半島から華北《かほく》に急速にひろがります。この義和団《ぎわだん》★1とよばれる民衆の集団は、「扶清滅洋《ふしんめつよう》」★2をスローガンに勢いを増し、一九〇〇年には北京を占領して、外国の公使館を包囲しました。列強は連合軍★3を組織して天津《てんしん》から北京にむかい、清朝は義和団に期待して、列強に宣戦を布告しました。

しかし、義和団の主力は大した武器もない農村の若者たち、かたや連合軍の主力は近代装備の日本軍とロシア軍でした。★4日本はもっとも多い二万二〇〇〇人を派遣します。義和団や清国軍とのあいだで激戦が展開され、連合軍による虐殺《ぎゃくさつ》や放火、略奪《りゃくだつ》がありました。このときの日本軍は規律《きりつ》が厳正《げんせい》だったといわれますが、多くの略奪事件が報告されています。日本やロシア、ドイツの社会主義者たち★5は、連合軍の派遣に反対の声をあげていました。

8か国軍の兵士。イギリス軍インド人兵がいるため合計9人

★1　拳法を修行しキリスト教に反発する宗教的な結社。

★2　「清を助け、西洋諸国をほろぼす」という意味。

★3　イギリス、ドイツ、ロシア、フランス、アメリカ、イタリア、オーストリア、日本の八か国の軍隊で構成。北京占領後も増兵され、最終的には七万人をこえた。戦死者は全体で七百余人。

★4　イギリスは南アフリカ戦争をかかえ、アメリカはフィリピン・アメリカ戦争の最中だった。

★5　日本では幸徳秋水や堺利彦、ロシアではレーニン、ドイツでは社会民主党が、中国の民族運動にたいする派兵だと反対した。戦後、幸徳らは新聞『万朝報』で日本軍による略奪行為を糾弾している。また宗教家・言論人の内村鑑三なども批判の声をあげた。

義和団の鎮圧《ちんあつ》後、ロシアは満州に派遣した大軍をそのまま駐留《ちゅうりゅう》させ、これが四年後の日露戦争につながります。戦後むすばれた北京議定書は、清に莫《ばく》大《だい》な賠償金《ばいしょうきん》を課《か》し、外国軍の北京駐兵を認めさせました。そして三七年後、北京に駐屯する日本軍が盧溝橋《ろこうきょう》事件★6をおこしました。

日本の歴史教科書の多くは「義和団事件」と書いていますが、中国では「義和団運動」とよび、太平天国、辛亥《しんがい》革命と並ぶ中国近代史の三大民衆闘争のひとつとしています。殺された中国人は、兵士をふくめ数万人にのぼると見られます。これは「事件」という名称をはるかにこえる、中国が大打撃をうけた戦争でした。

Q5

日露戦争

日本海海戦の勝因は、東郷平八郎の作戦ですか。

A 一九〇五年五月二七日、ロシアのバルチック艦隊★1が対馬《つしま》沖にあらわれました。七か月をかけて地球を半周し、到着したのです。この日午後二時すぎから日本の連合艦隊★2との砲撃戦が開始され、ロシア艦隊は旗艦《きかん》「スワロフ」をはじめ四隻《せき》の戦艦を失いました。夜間は水雷艇《すいらいてい》の攻撃をうけ、ほぼ全軍が撃沈《げきちん》や抑留《よくりゅう》・降伏《こうふく》となり、ウラジオストクにたどり着いたのは、巡《じゅん》洋艦《ようかん》一隻と駆逐艦《くちくかん》二隻だけでした。日本側の損害は水雷艇《すいらいてい》三隻。圧勝です。

★6 一九三七年七月七日夜、北京郊外の盧溝橋付近で演習をおこなっていた日本軍が銃撃されたとして、日中全面戦争が開始された。誰による銃撃かは不明。

◆映画『北京の55日』（一九六三年、ニコラス・レイ監督）義和団に包囲された北京の外国公使館のある区域で、連合軍が来るまでの五五日間、列強諸国の居留民が籠城した戦いを描く。アメリカ映画のため、アメリカ軍が美化され、義和団は悪役に描かれる。

★1 戦艦八隻、装甲巡洋艦三隻など二九隻で構成され、他に輸送船などが随伴し、乗員一万人からなる大船団だった。

★2 戦艦四隻、装甲巡洋艦八隻、巡洋艦一五隻、駆逐艦二一隻などで構成された。

従来、この勝利は連合艦隊司令長官東郷平八郎《とうごうへいはちろう》が採用したT字戦法★3の成果といわれてきました。しかし今日ではこれは否定されています。「東郷ターン」とよばれる回頭指令もT字戦法への移行ではなく、ロシア艦隊との距離をつめ、並行《へいこう》コースをとるためでした。海戦の航跡《こうせき》図やロシア艦の被弾《ひだん》状況を見ても、T字ではなく並行砲撃戦がおこなわれたことは明らかです。

勝因は実際の戦力の差と見られます。連合艦隊の戦艦は四隻、ロシア艦隊は八隻ですが、巡洋艦は二三隻対九隻です。全体の艦船数も日本が多く、このため総合火力の点では日本側が勝《まさ》り、また下瀬《しもせ》火薬★4の使用により砲弾の破壊力も強力でした。士気《しき》の点でも、敵を待ちうけ猛訓練《もうくんれん》を積んだ日本側と、異常に長い航海で疲《つか》れ、厭戦《えんせん》気分が蔓延《まんえん》していたロシア側とでは大ちがいでした。

旗艦三笠《みかさ》をはじめ連合艦隊の戦艦が、すべてイギリス製だったことも重要です★5。イギリスは日英同盟★6にもとづいて、全面的に日本を支援しました★7。バルチック艦隊は、ヨーロッパからアフリカ南端を迂回《うかい》する長い航海中、イギリスの妨害《ぼうがい》ではほとんど寄港地《きこうち》がなく、休養や訓練はもちろん、水や食料の補給すら十分ではありませんでした。日本が勝って当然の海戦だったのです★8。そしてこの勝利は、その後の軍備拡張などを通じて日本の軍事国家化への契《けい》機《き》となり、日本を一九四五年の敗戦に導く決定的な役割をはたしました。

★3　直進して接近する敵艦隊を、Tの字型に直角にさえぎる形で艦隊を並べる布陣。敵は先頭艦しか砲撃できないが、味方はすべての艦から先頭の敵艦に集中砲火できる。

★4　海軍技師の下瀬雅允（まさちか）が実用化した爆薬。すさまじい威力があった。

★5　当時の日本はまだ多くの軍艦の建造を、外国に発注していた。

★6　一九〇二年、イギリスはアジアにおける対露戦略としてむすび、軍事的援助にかぎらず戦争公債を引き受けるなど経済的援助もおこなった。

★7　イギリスの海底電信ケーブルによって情報が送られ、海軍の最新軍事技術なども提供された。

★8　日本海海戦は海戦史上稀な完全勝利とされ、東郷平八郎の神格化がすすめられた。

戦艦三笠

第一次世界大戦の塹壕（Q１参照）

14 第一次世界大戦

ヨーロッパには第一次世界大戦の記念碑《ひ》や資料館が、小さな町や村もふくめ、たくさんあります。前代未聞《ぜんだいみもん》の惨状《さんじょう》は大きな衝撃《しょうげき》をあたえました。軍関係の死者は九〇〇万人以上、民間の犠牲をくわえると合計一六〇〇万人ともいわれます。数週間で終わると思われた戦争は、四年四か月もつづきました。

Q1 兵士がかかった「シェル・ショック」とは、どんな病気ですか。

A 第一次世界大戦中、西部戦線でおこなわれた塹壕戦《ざんごうせん》は、覆《おお》いもない地中で泥《どろ》にまみれ、砲撃しあう持久戦《じきゅうせん》となりました。★1 兵営《へいえい》はなく、兵士は塹壕に隠《かく》れ、近距離で破裂する砲弾の音や爆風、恐怖にさらされます。まもなく塹壕戦から帰還《きかん》した兵士の一部に、おかしな症状が見られるようになりました。

明らかに外傷《がいしょう》がないにもかかわらず、体や顔の痙攣《けいれん》や麻痺《まひ》、歩行困難、失《しつ》

★1 フランス内務省によれば、対独戦線で独仏両軍が発射した砲弾は約一四億発。その一割が不発弾といわれ、現在も不発弾処理がつづいている。

語《ご》、記憶喪失《きおくそうしつ》などの症状があらわれたのです。当初は個人的な問題と見られましたが、こうした症状はイギリス兵だけでなくドイツやフランスなどでも見られました。イギリスでは砲撃によってこうした障がいが生じると考えて、「シェル・ショック（砲弾ショック）」とよばれました。

精神に支障《ししょう》をきたしてイギリス国内に送還《そうかん》された兵士は、はじめは一般病院に収容されました。しかし一九一四年の秋以降、戦いが激しくなると、専門の施設がつくられ、前線にもおかれるようになりました。そして「シェル・ショック」というよび名も、症状が砲撃のためだけでなく、長期間の戦闘によっても見られることから、「戦争神経《しんけい》症」にかわっていきました。

第二次世界大戦では、兵士個人の性格や能力にかかわりなく、戦争の長期化によってたいていの兵士がこの障がいにおちいることがわかりました。そしてヴェトナム戦争以降は、アメリカで帰還兵の心理的な障がいが大きな問題となり、心的外傷後《しんてきがいしょうご》ストレス障害（ＰＴＳＤ）とよばれ、ひろく知られるようになりました。

◆映画『西部戦線異状なし』（一九三〇年、ルイス・マイルストン監督）レマルク著のベストセラー反戦小説の映画化。

◆映画『ジョニーは戦場へ行った』（一九七一年、ドルトン・トランボ監督）主人公の兵士は、四肢を失い、知覚もほとんどなく病院にいる。

Q2 世界最初の戦車をつくったのは、イギリスですか。

A そうです。第一次世界大戦が開始されると、数か月で戦線は膠着《こうちゃく》状態になりました。前進も後退もなく、拠点《きょてん》を維持《いじ》する戦いです。兵士は塹壕にたてこもり、長距離砲による砲撃戦がおこなわれました。こうした膠着状態を打破すべく、塹壕を突破するために開発された新兵器が、戦車★1でした。従来の装甲車《そうこうしゃ》の車輪では、鉄条網《てつじょうもう》や塹壕がはりめぐらされたデコボコの地面を、自由に動くことはできません。発明のヒントとなったのは、農業用トラクターのキャタピラ★2でした。新兵器の開発は極秘《ごくひ》とされ、移動時には防水シートでおおい、戦線に水を運ぶ「タンク」だと説明しました。これが戦車が「タンク」とよばれる由来《ゆらい》です。

一九一六年九月一五日、北フランスのソンムの戦いで、イギリス軍の戦車・マークⅠ《ワン》がはじめて登場しました。作戦には四九両派遣されましたが、トラブルや故障で、まともに戦闘に参加できたのはわずか九両といわれます(五両との説もある)。しかし、機械じかけの巨大な化け物に直面したドイツ兵は、恐ろしさのあまりパニックとなり、戦車の射程《しゃてい》に入らないうちに逃げだす部隊もありました。これはまだ一時的な活躍でしたが、イギリスの新聞では大々的に報道されました。

★1　戦車の構想はオーストリアやフランスにもあった。

★2　キャタピラはイギリスの農機具メーカー、リチャード・ホーンズビー・サンズ社で開発された。のちに特許権がアメリカのホルト・キャタピラ社に譲渡され、キャタピラの名称がひろまった。

イギリスの戦車　マークⅠ

マークIは八人乗り、室内はせまく、乗員は高温・煙《けむり》・臭気《しゅうき》などに苦しめられました。故障も多く、操縦《そうじゅう》するのが大変だったといわれます。しかしこんな戦車でも、ある程度の戦果をおさめました。戦車の登場はドイツ軍に大きな衝撃となり、翌年には戦車A7Vを開発します。戦車の登場は、その後の戦争の形態《けいたい》を大きく変えていきました。さらに戦車は市民を抑圧《よくあつ》する道具にもなり、一九一九年一月、イギリスのグラスゴーで賃上げや労働時間短《たん》縮《しゅく》を求めるデモがおきると、戦車が動員されました。

◆映画『戦場のアリア』（二〇〇五年、クリスチャン・カリオン監督）開戦最初の冬、戦場で英・仏・独軍がともにクリスマスイヴを祝った実話にもとづく。

◆映画『戦火の馬』（二〇一一年、スティーヴン・スピルバーグ監督）マイケル・モーパーゴの児童小説『戦火の馬』とその戯曲にもとづく。軍馬とされイギリスからフランスの戦場に送られたサラブレッドと人びとの物語。

Q3

ルシタニア号事件がきっかけで、アメリカは参戦したのですか。

A 第一次世界大戦中の一九一五年二月、海軍力に劣《おと》るドイツは、英仏による海上封《ふう》鎖《さ》に対抗するため、イギリス周辺の海域での無制限潜水艦作戦を宣言しました。★1 五月七日、ニューヨークからリヴァプールにむかうイギリスの豪華客船《ごうかきゃくせん》ルシタニア号が、★2 ドイツの潜水艦Uボートによって、アイルランド沖で撃沈《げきちん》されます。

ルシタニア号

★1 大戦当初、ドイツは中立国の船への攻撃を禁止し、潜水艦Uボートは水上で警告して退避の時間をあたえてから敵国商船を攻撃していたが、無警告での攻撃を開始した。

★2 総トン数三万一〇〇〇トン、当時最大の旅客船。

一一九八人が犠牲となり、そのなかには一二八人のアメリカ人がふくまれていました。当時まだ参戦していなかったアメリカとドイツの関係は険悪《けんあく》となり、ウィルソン大統領はドイツにたいして強い抗議《こうぎ》をします。★3 これにたいしドイツは、ルシタニア号には弾薬類が搭載《とうさい》されていたと、攻撃を正当化しました。★4

しかし事件にたいする国際的非難《ひなん》はますます強まり、ドイツは無制限潜水艦作戦をいったん停止します。その後、陸戦の長期化が決定的となり、ドイツは敵国への物資《ぶっし》の輸送を妨害《ぼうがい》するため、一九一七年二月、無制限潜水艦作戦の再開を宣言しました。★5 そして四月、アメリカは参戦を決定します。

こうした経過を見ていると、ドイツの潜水艦作戦が参戦の理由のようですが、アメリカの財界は英仏に多額の戦費を貸し出していました。英仏との貿易は拡大の一途《いっと》となり、民間の投資も激増していました。もし英仏が負けるようなことがおこれば、大損害となります。借款《しゃっかん》を回収すること、また戦後★6 世界の指導権をにぎることが、アメリカにとっては重要でした。

★3 謝罪と賠償、商船への無警告攻撃の中止を要求した。しかし、無制限潜水艦作戦は続き、さらにアメリカ人が犠牲となる商船攻撃がおこなわれたので、ドイツは損害賠償をすることと、無警告攻撃を当分おこなわないことを、アメリカに約束した。

★4 近年の海底の残骸調査では、銃弾類が発見されたという。

★5 三月にはアメリカ商船三隻が、無警告でUボートに撃沈された。

★6 アメリカは大戦中の日本の中国政策についても、大きく懸念していた。

Q4 撃墜《げきつい》王「レッド・バロン」は、八〇機も撃墜したのですか。

A 開戦当時、各国が保有する飛行機★1はわずかでした。そのころの飛行機は主翼《しゅよく》が上下二枚の複葉機《ふくようき》が主で、材質は木や布で武装はなく、当初は偵察《ていさつ》などが任務《にんむ》でした。やがて空中戦がおこなわれると、乗員は小銃や機関銃を手にもち戦いました。命中率を上げるには、機体前方に銃を固定することが必要でしたが、銃弾がプロペラに当たってしまいます★2。

この問題をオランダ人のフォッカーが解決しました。プロペラの回転と機関銃の銃弾の発射タイミングを、プロペラに当たらないよう同調させたのです。以後、空中戦は本格化し、ドイツ軍のフォッカー型戦闘機の出現は、連合軍を恐怖におとしいれたといわれます。「レッド・バロン」★3とよばれたドイツのリヒトホーフェン騎兵大尉《きへいたいい》は、公認されただけで八〇機も撃墜《げきつい》しています。彼のような英雄「空のエース」の活躍は、新聞紙面をかざり、人気スターのようでした。

また飛行船も活躍し、偵察や爆撃★4に使用されました。当時の飛行機では、多量の爆弾を運べなかったからです。ドイツのツェッペリン号はロンドンの夜間爆撃をおこない、その全長二〇〇メートルをこえる巨体は悪魔の化身《けしん》か、怪物のように恐れられました。しかしまもなく、巨大で速力も遅《おそ》い飛行船は

「レッド・バロン」リヒトホーフェン

★1 ライト兄弟が初飛行に成功したのは、一九〇三年。

★2 フランスのスパッド社は、プロペラの前に機関銃手の席をもったスパッドA2を開発したが、運動性などに問題があった。

★3 愛機が赤く塗られていたことに由来する。彼はシュレージエン地方（現在のポーランド）の男爵（英語でバロン）家の長男で、開戦当初は騎兵だった。一九一八年四月、ソンム川上空で撃墜され（地上からの攻撃ともいわれる）、着陸はしたものの戦死した。二五歳だった。

★4 空爆の開始は一九一一年に開始されたイタリア・トルコ戦争。イタリア軍がオスマン帝国領のリビアへ飛行機九機、飛行船二機を派遣、三〇〇発以上の爆弾を投下した。

イギリス戦闘機の格好《かっこう》の餌食《えじき》となり、飛行機による爆撃にかわります。

こうした都市への爆撃は、人びとを混乱におとしいれました。一般市民がじかに戦争を体験することは、それまでは稀《まれ》だったからです。★5 大戦中、空襲で亡くなったイギリス市民は一千数百人。兵士も一般市民も区別なく殺される時代になりました。

Q5 アフリカやアジアの人びとも、戦争に動員されたのですか。

A

大量殺戮《たいりょうさつりく》となった第一次世界大戦では、イギリスやフランスなどにより、ヨーロッパ以外の領土★1や植民地から多くの人が動員され、犠牲となりました。

フランスが植民地で集めた兵士は約六〇万人。アフリカが圧倒的に多く、インドシナや太平洋諸島の出身者もいます。ヨーロッパに送られた兵士の数は、正確にはわかりませんが、アルジェリア兵が約一六万人、サハラ以南のアフリカの兵士が約一三万人、死者・行方不明者は七万人をこえるといわれます。★2 多くは歩兵で、突撃の前衛《ぜんえい》として戦場に立たされました。また二〇万から三〇万人ともいわれる労働者も、動員されました。★3

ドイツ領東アフリカ（現在のタンザニア）では、ドイツ人将校ひきいるア

★5 それまでも一般市民が戦争に巻き込まれ、犠牲になることはあった。しかし第一次世界大戦は、国家のあらゆる分野の力を戦争に動員する総力戦となり、戦争につながるものすべてが攻撃の対象とされた。

◆映画『レッド・バロン』（二〇〇八年、ニコライ・ミュラーション監督）ドイツ製作のリヒトホーフェンの伝記映画。

★1 カナダから動員された兵力は約六三万人、オーストラリアからは約三三万人、戦死者は双方とも約六万人。ニュージーランドは約一二万人で、一万七〇〇〇人の戦死者を出した。

★2 強制動員にたいしては、脱走や武力抵抗もあったが、その鎮圧もアフリカ人兵士がさせられた。

★3 労働者は植民地ではない中国でも募集され、中国人出稼ぎ労働者は何万人（一〇万人以上？）もいた。彼らは前線での塹壕掘りや、危険な砲弾運びにも従事した。

フリカ人兵士と、イギリス領東アフリカ（現在のケニア）のイギリス人将校にひきいられたアフリカ人兵士・インド人兵士とのあいだで、熾烈《しれつ》な戦いがくりひろげられました。戦いは広範囲に拡大して、大戦が終わるまでつづきました。村を焼かれ、動員で働き手をうばわれた現地では、農業が成り立たず飢饉《ききん》が発生しました。

　イギリスがインドから動員した兵士は約八三万人[★4]、労働者は約四五万人にのぼります。インド兵の多くは西アジアの戦場に送られ、戦死・行方不明者は約七万人、負傷者も約七万人にのぼりました。さらにインドは、イギリスへの戦争協力費などを負担させられ、増税と戦債《せんさい》が重荷《おもに》となり、物価の上昇が人びとを苦しめました。イギリスは協力の見返りに自治《じち》をあたえると約束しましたが、約束は守られず[★5]、休戦の翌年に強圧的なローラット法を制定して、インド民衆の激しい抵抗をよびました[★6]。

★4　兵士のなかでも、パンジャーブの四七万人の兵士は半ば強制動員だった。

★5　戦後の一九一九年に出されたインド統治法は、自治とはほど遠かった。

★6　逮捕状なしの逮捕、裁判なしの投獄を認める反英運動弾圧の法。パンジャーブ地方アムリットサールでのこの法への抗議集会にイギリス軍が発砲し、多数の犠牲者が出た。こうした圧政への抵抗の指導者となったのが、ガンディーだった。

アフリカ人兵士

柳条湖事件を報道する日本の新聞（Ｑ２参照）

15 二つの世界大戦のあいだの時代

第一次世界大戦後、二度とこのような戦争をおこしてはならないという考えから、国際連盟が生まれ、軍縮《ぐんしゅく》条約がむすばれました。しかし戦争終了のわずか二〇年後、第二次世界大戦がはじまります。しかもこの二つの戦争のあいだにも、第二次世界大戦につながるいくつもの戦争がおきました。

Q1 ロシア革命干渉《かんしょう》戦争

日本がシベリアで戦争をしたのですか。

A 一九一七年の二月革命と一〇月革命の結果、ロシアで帝政がたおされ、樹立《じゅりつ》された革命政権は大戦から離脱《りだつ》しました。連合国はさまざまな口《こう》実《じつ》をもうけてロシアへの干渉《かんしょう》をはじめます。イギリスとフランスは秘密協定で軍事干渉することを取り決めました。社会主義の革命政権が成立したロシアは、連合国の仲間ではなくなり、侵略《しんりゃく》の対象となったのです。英仏はアメリカと日本にも干渉軍をシベリアに派遣《はけん》するよう要請《ようせい》しました。

一九一八年七月、アメリカがチェコスロヴァキア軍救援《きゅうえん》★1を口実に共同出兵を提案すると、日本はシベリア出兵を宣言しました。兵力は日米それぞれ七〇〇〇人ということでしたが、日本軍はそれをはるかに上回る七万二〇〇〇人★2で、日本に近い東シベリア一帯を占領《せんりょう》します。しかし反革命政権の樹立は不可能とわかり、アメリカはじめ各国は一九二〇年までにシベリアから撤《てっ》退《たい》しました。日本は出兵の口実を変更し★3、駐留《ちゅうりゅう》しつづけます。

そして一九二〇年に尼港《にこう》事件がおこりました。ニコライエフスク（尼港）はアムール川河口《かこう》の北洋漁業の基地でしたが、駐屯《ちゅうとん》していた日本軍と日本人居留民《きょりゅうみん》が現地のパルチザン★4と争い、五月に捕虜《ほりょ》となった日本人七〇〇名余り★5が殺害されたのです★6。事件は「尼港の惨劇《さんげき》」と大々的に日本国内で報道され、日本は報復《ほうふく》として対岸の北サハリンを占領しました★7。しかしシベリア駐留をつづける日本軍への国際的不信が高まり、一九二二年、日本はようやくシベリアから撤兵《てっぺい》、サハリンからは一九二五年に撤兵しました。

極寒《ごっかん》の地シベリアでのパルチザンとの戦いは、部隊が全滅することもありました★8。七年間の死者は約三〇〇〇名、凍《とう》

ロシア革命干渉戦争関係図

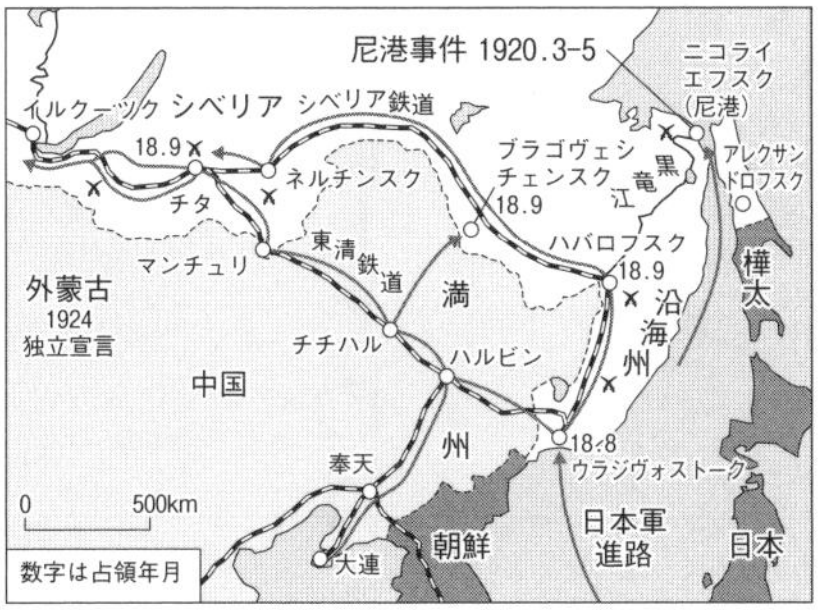

★1　第一次世界大戦でロシアに投降していたチェコスロヴァキア軍を、革命後、シベリア経由で帰還させようとした。

★2　他の国は、一九一八年秋の段階でアメリカ軍九〇〇〇、イギリス軍七〇〇〇、中国軍二〇〇〇、イタリア軍一四〇〇、フランス軍一三〇〇、カナダ軍若干名が出兵した。出兵の口実とされたチェコ軍は、約四万。

★3　居留民保護と、朝鮮、満州への革命の脅威を防ぐことに変更。

★4　革命派のゲリラ部隊。

★5　犠牲者数には諸説あるが、日本政府は七三五名（民間人三八四名、軍人三五一名）とする。ロシア人も多数殺害された。

★6　のちに革命政権は事件の責任追及をおこない、パルチザンの司令官を処刑した。

★7　石油資源が目的とされる。

★8　寒い日にはマイナス四五度にもなり、水分のあるものはすべて凍り、水の確保もむずかしかった。一九一九年二月、パルチザンの襲撃で田中大隊は負傷者数名を残し全滅した。

★9　大戦中の一九一八〜一九年、世界的に大流行して多くの死者をだしたインフルエンザ。

傷《しょう》やスペイン風邪《かぜ》★9による戦病者が多く出ました。市民をふくむロシア側の死者数は不明ですが、日本側をはるかに上回ることは確かです。★10

Q2 満州事変

鉄道線路を爆破したのは誰ですか。

A 一九三一年九月一八日午後一〇時三〇分ごろ、中国の東北地方の中心都市奉天《ほうてん》（現在の瀋陽《シエンヤン》）郊外《こうがい》の柳条湖《りゅうじょうこ》で、南満州鉄道（満鉄）★1の線路が爆破されました。現地の関東軍《かんとうぐん》★2は、これを中国軍のしわざとして交戦開始。たちまち沿線各地を占領し、関東軍の要請《ようせい》をうけた朝鮮軍司令官の林銑十郎《はやしせんじゅうろう》は、独断で部隊を満州に派遣しました。★3

こうして関東軍はほぼ満州全域を制圧します。この柳条湖事件★4が、一九四五年の日本の敗戦にいたる一五年間の長い戦争のはじまりとなりました。関東軍の独断専行《どくだんせんこう》の軍事行動にたいし、日本政府は当初、不拡大方針《ふかくだいほうしん》を声明しました。しかし結局、朝鮮軍の出動と戦費支出を認め、関東軍がつくり出した既成事実《きせいじじつ》を追認《ついにん》していきます。★5　翌年、天皇は「関東軍ニ下《くだ》シ給《たま》ヘル勅語《ちょくご》」を出して、関東軍をたたえました。

国民は関東軍の行動を熱烈に支持しましたが、真実は知らされませんでした。真相が明らかにされたのは、戦後の極東《きょくとう》国際軍事裁判（東京裁判）にお

★10　戦死、餓死、病死など合わせ八万人という推計もある。

★1　一九〇六年設立。日本の満州経営の要となった半官半民の国策会社。炭鉱、製鉄、商事、農場、学校、ホテルなどを経営する巨大コンツェルンで、鉄道附属地の行政権をもち、電力、水道、ガスも供給した。

★2　日露戦争後、日本がロシアから租借権を獲得した関東州（遼東半島）と南満州鉄道の守備のためにおかれた陸軍部隊。

★3　大日本帝国憲法では軍の統帥権は天皇にあり、司令官が独自に軍を動かすのはそれに反する。

★4　柳条湖事件からはじまる日本軍の軍事行動を、満州事変とよぶ。

★5　朝鮮軍の独断出兵は天皇の事後承認によって正式の派兵とされた。

★6　関東軍の参謀板垣征四郎大佐と石原莞爾中佐を中心に計画された。

★7　上海では九月二六日には数万人の市民・労働者が抗日救国大会を開催した。襲撃された五人のうち一人が死亡、他は重軽傷をおった。

いてです。爆破は関東軍が計画、★6 実行したもので、爆破後もすぐ列車を運行できるよう、破損《はそん》はレールの片側だけ、枕木《まくらぎ》二本分でした。

　上海《シャンハイ》など中国各地で抗日《こうにち》運動がわきあがるなか、一九三二年一月一八日、上海で日本人僧侶《そうりょ》らが中国人に襲撃《しゅうげき》される事件がおきました。★7 海軍は日本人居留民の不安を背景に軍艦《ぐんかん》を派遣し、警備区域を無断で拡大した海軍陸戦隊が中国軍と戦います（上海事変）。★8 しかしこの襲撃事件もまた、関東軍が仕組んだ謀略《ぼうりゃく》でした。★9 上海事変をおこして世界の関心を満州からそらし、その間に「満州国《まんしゅうこく》」★10 がつくられたのです。

★8　日本軍は中国の一九路軍と民衆の抵抗にあい、五月には停戦協定をむすんで撤兵する。

★9　戦後、日本人僧侶襲撃事件は日本軍の田中隆吉少佐が関東軍の板垣から依頼され、中国人を雇って襲撃させたと、田中自身が証言した。

★10　一九三二年に設立された日本の傀儡（かいらい）国家。日本は清朝最後の皇帝溥儀（ふぎ）を執政に迎え、独立運動による国家と主張した。国際的には承認されなかった。

◆映画『戦争と人間』（一九七〇〜七三年、山本薩夫監督）五味川純平の小説『戦争と人間』の映画化。満州の新興財閥を軸に、さまざまな人間を描く。

Q3

エチオピア戦争

イタリア軍が毒ガスを使ったのですか。

A

一九三五年一〇月、イタリアのムッソリーニ政権はエチオピアへ侵略を開始しました。イタリアはこの四〇年前にも、エチオピアを植民地にしようとしましたが、アドワで大敗していました。★1 世界恐慌《きょうこう》後のイタリアで、ムッソリーニ政権はファシズム政権の威信《いしん》を示し、国民生活に活力をもたらすことをねらったのです。

　きっかけは、イタリア領ソマリランドとエチオピアとの国境紛争《ふんそう》でした。イタリア軍は総勢《そうぜい》五〇万の兵力と戦車や戦闘機を動員しましたが、エチオピ

★1　イタリアはアフリカ北東部ではエリトリアやソマリランドにつづき、エチオピアも征服しようとしたが、一八九六年にアドワで大敗した。

ア軍は「槍《やり》をもって裸足《はだし》で進軍する」といわれるほどで、わずかな大砲や旧式の銃しかありません。それでもエチオピア軍は補給《ほきゅう》が追いつかないイタリア軍のすきをつき、反撃しました。

一九三六年二月、イタリア軍は総攻撃を開始。五月には首都アディスアベバを占領し、エチオピア皇帝はロンドンに亡命します。ムッソリーニは「文明と人道」の名のもとにエチオピア併合《へいごう》を宣言し、侵略を正当化しました。しかしエチオピアの抵抗は、第二次世界大戦がはじまり、一九四一年にイギリス軍がイタリア軍を駆逐《くちく》するまで、各地でつづけられました。

侵攻から五年間のエチオピア側の死者は、七〇万人をこえるといわれます[★2]。イタリアは戦争中も占領中も、抵抗の芽《め》をつむとして、各地で航空機による無差別爆撃と毒ガス攻撃[★3]をおこないました。一九三五年から三九年にかけて空から投下された、致死性《ちしせい》の高いイペリットなどの化学剤は、五〇〇トン以上にのぼるといわれます[★4]。

国際連盟はイタリアにたいし経済制裁《せいさい》にふみ切りますが、石油は禁輸品から除外されるなど効力がなく、無力さをさらけだしました[★5]。

イペリットを入れた爆弾をかこむイタリア軍関係者

★2　兵士より民間人が多く、餓死者が多かった。一九六〇年のオリンピックローマ大会での、エチオピアのアベベ選手のマラソン優勝は、エチオピアにとって特別な意味をもった。

★3　毒ガス兵器と細菌兵器の使用は、一九二五年のジュネーヴ議定書で禁止されていた。エチオピア皇帝ハイレ・セラシエは、国際連盟でイタリア軍の毒ガス攻撃を告発した。

★4　毒ガスの使用をファシスト政権は認めず、一九九〇年代にようやく国防省が事実を認めた。

★5　イタリアのエチオピア侵略は、満州事変以降の日本の侵略行為にたいする国際連盟の無力ぶりを見ておこなわれた、といわれる。

Q4

スペイン戦争

ゲルニカを爆撃したのは、反乱軍のフランコ将軍ですか。

A

ゲルニカはスペイン北部バスク地方の山のなかの小さな町です。一九三七年四月二六日に爆撃したのは、ドイツ空軍の「コンドル軍団」とイタリア軍機でした。攻撃には新鋭《しんえい》機のハインケル爆撃機、ユンカース爆撃機、メッサーシュミット戦闘機が、綿密《めんみつ》な計画のもとに実験的に投入されました。★1 大量の焼夷弾《しょういだん》を使用した市街地《しがいち》への無差別爆撃は三時間にわたり、人口七〇〇〇人の町で死者一六五四人、負傷者八八九人を出しました。★2

フランコ将軍が人民戦線政府★3に反乱をおこしたのは、この前年の一九三六年七月でした。ヒトラー、ムッソリーニが政権をとるドイツとイタリアは反

パブロ・ピカソ「ゲルニカ」1937年
©2020 - Succession Pablo Picasso-BCF（JAPAN）　写真提供：アフロ

★1　第一次世界大戦後、空軍の保有を禁止されていたドイツは、一九三三年のヒトラー政権成立後から極秘裏に空軍の再建をはじめた。スペイン戦争は、戦間期に開発された軍用機や爆弾などの実験場となった。

★2　犠牲者数は当時バスク政府が発表した公式数字で、正確な人数は不明である。当時の人口は避難民をふくめ約一万人と見られ、焼夷弾の使用は木造家屋の多い市街地を焼きはらうことが目的とされ、東京への空襲との共通性がある。

★3　スペインはファシズム勢力と反ファシズム勢力が対立し、一九三六年二月の選挙で反ファシズムの人民戦線政府が僅差で成立した。フランコ将軍の反乱は、それを軍事力で転覆しようとするクーデター。

★4　五〇か国以上、のべ約四万三〇〇〇人に達する人びとが参加していた。

★5　「どちら側にも関わらない」という政策だが、スペイン政府に武器や軍需品を提供しない政策は、反乱軍側を圧倒的に有利にした。

乱を軍事的に支援し、ソ連とメキシコ、国際義勇軍《ぎゆうぐん》★4が人民戦線政府を支援、不干渉《ふかんしょう》政策★5をとったイギリスとフランスは結果的に反乱軍を助けました。ですから国内だけの内戦ではありません。そして戦線が膠着《こうちゃく》すると、フランコ将軍はスペイン北部の工業地帯であるバスク地方をおさえようと考え、ドイツ空軍に爆撃を要請しました。

ゲルニカ爆撃は、敵の基地を攻撃するような戦術《せんじゅつ》的な爆撃ではなく、軍事施設のない市街地を無差別に爆撃し、一般市民を殺戮《さつりく》する最初の戦略爆撃でした。★6ドイツ軍の無差別爆撃はすぐに報道され、多くの市民を犠牲にしたことから国際的な非難があがりました。

スペインの画家で、当時パリでこの爆撃を知ったピカソは、ファシズムへの抗議《こうぎ》を込めて大作「ゲルニカ」を描きました。この絵は開催中のパリ万国博覧会スペイン館の正面に展示され、大きな衝撃と怒りをあたえました。★7

Q5

日中戦争

「南京《ナンキン》事件はなかった」という人がいるのですか。

A 一九三七年七月に北京の盧溝橋《ろこうきょう》から開始された日中戦争で、日本軍は当時の中国の首都南京《ナンキン》の陥落《かんらく》をめざし、進軍しました。南京事件★1とは、一二月にはじまった南京攻略戦と占領後の残敵掃討《ざんてきそうとう》戦で、日本軍が南京近郊

★6　第二次世界大戦で本格化し、今日までの戦争の爆撃につながっている。

★7　ピカソは絵を人民戦線政府に寄贈。巡回展示の後、絵は一九三九年にニューヨーク近代美術館に保管された。ピカソの遺言「スペインに自由な体制が戻ったら、スペインに返してほしい」に従って絵はフランコの死後返却され、現在はマドリードのソフィア王妃芸術センターに展示されている。

◆映画『誰が為に鐘は鳴る』（一九四三年、サム・ウッド監督）ヘミングウェイの同名の小説の映画化。

◆映画『大地と自由』（一九九五年、ケン・ローチ監督）スペイン戦争における国際義勇軍内の対立も描かれる。

★1　南京大虐殺、南京大虐殺事件、南京虐殺事件など多様な呼称がある。

の農村や南京城内★2、その周辺地域で、中国軍の捕虜《ほりょ》や敗残兵《はいざんへい》、また農民や市民などに殺傷《さっしょう》や暴行をおこなった事件をさします。

　戦時中は厳しい報道統制《とうせい》と検閲《けんえつ》★3がこの事件を封印《ふういん》したため、日本人の多くが知ったのは、戦後の極東国際軍事裁判や南京軍事法廷などからでした。このため南京事件は「東京裁判がでっちあげた」などという人もいます。しかし欧米では、南京で取材した記者が事件直後からくわしく報道し、アメリカ人牧師二人が隠《かく》れて撮影した八ミリフィルムの映像も公開されました。日本政府や日本軍の記録にも事件は残され、軍人の証言も存在します★4。さらに中国には当然多くの史料が残り、膨大《ぼうだい》な数の証言があります。

　事件があったことは認めるかわりに、市民の殺傷や女性への暴行は「混乱時ゆえ、一部にはあったかもしれない」と矮小化《わいしょう》する人もいます。しかし事件は戦闘時だけではなく、南京陥落後の日本軍の占領地域でもおきました。また、事件を南京城内や陥落時だけに限定して「犠牲者はわずかだ」としたり、中国側が犠牲者数を三〇万人としていることから「信憑《しんぴょう》性がない」として事件そのものを否定したりする主張もあります。しかし日本の歴史研究者は調査から犠牲者数を数万から二〇万としており、事件自体を否定することは不可能になっています。

　今日では日本政府の公式見解★5も南京虐殺を歴史的事実として認めており、中学や高校の歴史教科書にも事実として記載《きさい》されています。

★2　明の首都であった時代につくられた南京城の内側の部分。厚く高い壁にかこまれた市街地は、面積五五平方キロと広大。

★3　作家石川達三は南京陥落直後に現地を取材し、小説「生きてゐる兵隊」を発表。多くの部分が伏せ字、削除されていたが、掲載した中央公論三月号は即日発売禁止、新聞紙法の「安寧秩序紊乱」の容疑で起訴された。

★4　旧陸軍将校の親睦団体・偕行社の機関紙『偕行』にも手記が掲載されている。当時の中島師団長の一二月一三日の日記には、捕虜にはしない方針であり、佐々木部隊だけで約一万五〇〇〇人を「処理」した、と記されている。

★5　外務省ホームページ「日本政府としては、日本軍南京入城（一九三七年）後、非戦闘員の殺害や略奪行為等があったことは否定できないと考えています。しかしながら、被害者の具体的な人数については諸説あり、政府としてはどれが正しい数かを認定することは困難であると考えています」

◆映画『ジョン・ラーベ　南京のシンドラー』（二〇〇九年、フローリアン・ガレンベルガー監督）南京事件で現地民の保護に尽力したドイツ人ジョン・ラーベを描く。脚色された部分も多い。

原爆投下後の広島（Q５参照）

16 第二次世界大戦

第二次世界大戦は、一九三九年九月のドイツ軍のポーランド侵攻《しんこう》にはじまり、四五年のドイツと日本の降伏《こうふく》で終わりました。この戦争は第一次世界大戦と同じように帝国主義国間の戦争ですが、同時に〈ファシズム〉対〈反ファシズム〉の戦争でもあり、さらに独立を求める植民地の人びとの、民族解放の戦いでもありました。

Q1 開戦直後、ドイツ軍につづきソ連軍もポーランドを占領《せんりょう》したのですか。

A 一九三九年九月一日にドイツ軍がポーランドに侵攻《しんこう》すると、東からソ連軍もポーランドに侵入しました。これは八月にむすばれた独ソ不可《ふか》侵《しん》条約★1の秘密の取り決めでした。英仏はドイツに宣戦しましたが、奇妙なことに、ほとんど軍事行動はおこしませんでした★2。ポーランド政府はパリに脱出して亡命《ぼうめい》政府を樹立《じゅりつ》し、のちにロンドンに移ります。

ソ連軍の捕虜《ほりょ》となったポーランド将兵は、収容所に送られました。しかし

★1　ドイツは一定期間、西部戦線に集中するための時間を必要としていた。ソ連は英仏への不信もあり、ドイツにたいする軍事力強化のための時間を必要とした。独ソによるポーランドの分割占領も、秘密裏に決められた。

★2　この状態は「phony war（インチキな戦争）」とよばれた。ファシズムとの戦いよりも、ソ連の力をそぐことを優先した宥和政策のひとつ。

四一年にドイツとソ連の戦争（独ソ戦）がはじまると、ソ連は亡命政府と協力し、捕虜を釈放《しゃくほう》してポーランド人部隊を編成《へんせい》することにしました。ところが、集まった将兵の数は、捕虜にされたはずの人数よりずっと少ないものでした。

そして一九四三年二月、ドイツ軍占領下のカティン★3近くの森で、埋《う》められた約三〇〇〇のポーランド将兵の遺体《いたい》が発見されました。ドイツが「殺害はソ連の犯行」と発表すると、ソ連はただちに「ナチスの犯行」と反論し、亡命ポーランド政府の調査依頼にも応じませんでした。

ソ連とポーランド亡命政府の関係には、しだいに亀裂《きれつ》が生まれていきました。一九四四年、ドイツ占領下のワルシャワ市民は、亡命政府のよびかけに応じて国内軍とともに武器をとり、ドイツ軍に反撃します（ワルシャワ蜂起《ほうき》）。★4 しかしドイツ軍と戦い近郊《きんこう》まで進撃していたソ連軍の支援はなく、多くの市民が犠牲となりました。

戦後は親ソ的なポーランド社会主義政権のもとで、事件は闇《やみ》に葬《ほうむ》られました。しかし一九八七年、ペレストロイカ（改

「カティンの森」事件　ドイツ軍と発掘された遺体。

★3　モスクワ西方、スモレンスク近郊のグニェズドヴ。ドイツ軍は覚えやすい隣のカティンの名で事件をひろめた。

★4　ポーランド国内軍（反ドイツ抵抗組織）四〇万人以上のうち、五万人が参加。一万八〇〇〇人の戦闘員と一八万人の市民が死亡した。ソ連が蜂起を支援しなかったのは、戦後の体制づくりのため亡命政府の力を弱めたかったからとされる。ドイツ軍は報復として徹底的な殺害と破壊をおこなった。現在の旧市街は戦後に復元されたもの。

★5　グラスノスチ（情報公開）のなかで一九八七年、ソ連とポーランドの合同調査委員会が設置された。

★6　二〇〇八年、プーチン首相は事件を「スターリンの犯罪」とし、「正当化できない全体主義による残虐行為」とソ連の責任を認めたが、謝罪はしなかった。

★7　カティンの森以外にもベラルーシ、ウクライナで虐殺がおこなわれ、犠牲者はポーランド軍将校、官吏、聖職者など約二万二〇〇〇人にのぼる。さまざまな迫害をうけた人は合わせて一〇〇万人にのぼるとされる。

革）をすすめたソ連のゴルバチョフ政権のもと、事件の真相究明《しんそうきゅうめい》★5がおこなわれ、一九九〇年、ソ連は犯行を認めて遺憾《いかん》の意を表明します。★6 ポーランド占領中のソ連軍は、一九四〇年四月から秘密裏《ひみつり》に、ソ連の政策には邪魔《じゃま》な存在になると考えられたポーランド人捕虜を殺害したのでした。★7

Q2 日本の開戦は、真珠湾攻撃ですか。

A

ちがいます。日本はその何年も前から、中国との戦争をしていました。また、一九四一年一二月八日の最初の軍事行動は、ハワイのパールハーバー（真珠湾）ではなく東南アジアでした。パールハーバー攻撃の約一時間前、日本軍はイギリス領マレー半島東岸のコタバルに上陸し、現地のイギリス軍と戦闘状態に入りました。★1 パールハーバー攻撃では、日本の宣戦布告通告が在米日本大使館のミスで遅《おそ》くなったことが問題にされますが、コタバル上陸のとき日本政府はイギリスに宣戦布告も何もしていません。

　中国との戦争が泥沼《どろぬま》化するなか、アメリ

マレー半島周辺図（現在）

◆映画『カティンの森』（二〇〇七年、アンジェイ・ワイダ監督）虐殺事件をリアルに描く。監督の父はこの事件の犠牲者のひとり。

◆映画『地下水道』（一九五七年、アンジェイ・ワイダ監督）一九四四年のワルシャワ蜂起の末期、地下水道に逃れたレジスタンスの悲惨な末路を描く。

★1　同時に日本軍はタイ南部マレー半島の東海岸にも上陸、タイ軍と戦闘を交えている。

★2　武力南進は、フランスがドイツに降伏すると一九四〇年九月に北部仏印（ヴェトナム北部）に進駐、四一年七月には南部仏印（ヴェトナム南部）へ進駐という形で実施された。

★3　シンガポール占領の期限は、二月一一日の紀元節に設定された。実際の占領は一五日で島は「昭南島」と改名され、昭南神社がつくられた。

★4　盧溝橋事件にはじまる日中戦争についての、日本側の当時の呼称。「支那」は中国の蔑称（べっしょう）で、国際法の適用を回避しようとして、「戦争」ではなく「事変」の語が用いられた。

カは日本にたいする圧力を強め、一九四〇年に日独伊三国同盟がむすばれると、製鉄原料の対日輸出を禁止しました。日本には石油や鉄、ゴムなど、戦争に必要な資源がありません。軍は東南アジアに資源を求めましたが、★2 シンガポールにはイギリス軍の基地がありました。日本軍は防備《ぼうび》の堅《かた》い海ではなく、背後の陸からシンガポールにせまるため、マレー半島に上陸したのです。★3

一二月一二日、政府は、「支那事変」★4 以降日本がおこなっている戦争の名称を、「大東亜戦争」★5 と定めました。そして、資源確保★6 のための東南アジア侵略《しんりゃく》という事実は正面から消え、「米英に追いつめられた日本はやむなく戦争に突入し、植民地にされたアジアの解放のために戦った」という主張が、戦争中だけでなく今もくりかえされています。★7

「大東亜戦争」の後半は、アメリカ軍との戦いが中心となりました。またアメリカが「真珠湾攻撃を忘れるな（リメンバー・パールハーバー）」と宣伝したことや、戦後アメリカ側の「太平洋戦争（Pacific War）」というよび名が定着したこともあり、アジアでの戦争だったことや、日本は欧米諸国だけでなくアジア諸国にも敗北したことが忘れられ、隠《かく》されてしまったのです。★8 今日では、この点を克服《こくふく》する「アジア太平洋戦争」という名称が生まれています。

★5 「植民地にされたアジアの国々を欧米から解放するための戦争」の意。

★6 資源だけでなく、労働者や「慰安婦」として多くの人がアジア各地で連れ出された。

★7 戦後は林房雄の『大東亜戦争肯定論』に代表される。今日でも一部で主張され、中学校の歴史教科書にまで登場している。

★8 連合国軍総司令部（GHQ）によって、「大東亜戦争」の名称の使用は禁止された。侵略戦争を正当化する意味あいをもつことから、今日では一般には使われない。

◆映画『戦場にかける橋』（一九五七年、デイヴィッド・リーン監督）タイ・ビルマ国境近くの日本軍の捕虜収容所が舞台。両国間をむすぶ泰緬（たいめん）鉄道建設を急ぐ日本軍と、使役される英軍捕虜を描く。アジア人の労務者などにはほとんどふれられていない。

◆映画『アンボンで何が裁かれたか』（一九九〇年、スティーヴン・ウォーレス監督）ニューギニア島近くのアンボン島でおこなわれた、日本軍によるオーストラリア兵への虐殺や捕虜虐待をめぐる裁判を描く。

Q3 ヨーロッパ戦線では、レジスタンスが大きな役割をはたしたのですか。

A 一九四〇年六月、パリがドイツ軍に占領されフランスが降伏すると、ド・ゴール将軍は降伏を拒否し、ロンドンに亡命しました。彼は自由フランス政府を樹立し、ラジオでフランス国民にレジスタンス（抵抗運動）をよびかけます。

個別の抵抗はその前から自然に生まれていましたが、一九四三年にはフランス国民解放委員会が成立し、各地の抵抗運動が統一されます。レジスタンスは必要な情報を連合国や国民に提供し、ドイツ軍が使う鉄道や電線を切断して妨害《ぼうがい》するなど、さまざまな方法で戦いました。占領されてもドイツ兵とは話さないという行動も、抵抗のひとつでした。

一九四四年六月の連合軍のノルマンディ上陸後、レジスタンスの部隊はドイツ軍との戦いを公然《こうぜん》と開始。パリ解放のため多くの市民が立ち上がり、鉄道員や警官、郵便局員はストライキでドイツ軍への協力を拒否しました。そして八月二四日夜、レジスタンスがパリの市役所や官庁を奪還《だっかん》するなか、連合軍の先遣隊《せんけんたい》が市庁舎《しちょうしゃ》前に到着し、ノートルダム大聖堂の鐘が喜びに打ち鳴らされました。

ユーゴスラヴィアでも、ティトー★1ひきいる共産党を中心とするパルチザン★2

パリ解放後、パレードをするド・ゴール

★1　総司令官として対独抵抗運動を指揮した。戦後「七つの国境、六つの共和国、五つの民族、四つの言語、三つの宗教、二つの文字をもつ」地域を、ユーゴスラヴィアという「一つの国家」にまとめ、大統領になる。

★2　占領支配に抵抗してゲリラ戦などを展開した非正規軍。

★3　一九四三年九月八日、ムッソリーニの解任後成立したバドリオ政権が、無条件降伏した。

★4　ローマでレジスタンスの国民解放委員会が結成され、社会党、共産党、キリスト教民主党、自由党などの代表が集まった。

が、大部分の地域を自力でドイツ軍から解放しました。ソ連軍の支援をうけなかったことにより、ユーゴスラヴィアは戦後、独自の社会主義をすすめます。

イタリアでは一九四三年九月九日★3以降、左翼勢力とカトリック勢力が結集★4してドイツ軍と戦い、二五万人以上の男女がレジスタンスに参加しました。フィレンツェなど北部の大都市はレジスタンスによって解放され★5、労働者がドイツ軍の破壊から大工場を守りました。ムッソリーニはアルプスを越えて中立国スイスに逃げようとしましたが、一九四五年四月、レジスタンスに捕《つか》まり処刑されました。

どのような方法で占領から解放されるか。自力か、外国軍に助けてもらうか。それはその国の戦後政治の主体性を、大きく左右しました。

Q4 アジアの国々は日本のおかげで独立することができたのですか。

A 大戦中の一九四三年一一月、東京で、中国、満州国、タイ、フィリピン、ビルマなどの代表を集めた大東亜会議が開かれました。彼らは日本軍の占領地域の代表です。会議では、欧米の支配からのアジアの解放★1、共存共栄、独立尊重、互恵提携《ごけいていけい》をうたう大東亜共同宣言が採択《さいたく》されました。し

★5　連合軍はシチリア島から北上し、南部の解放をすすめた。ドイツ軍による一九四四年三月のローマ郊外でのアルデアティーネの虐殺はよく知られているが、撤退時にも各地で大量虐殺をおこなった。

◆映画『パリよ、永遠に』（二〇一五年、フォルカー・シュレンドルフ監督）実話にもとづき、退却前にパリの破壊を命じられたドイツ軍将軍と、止めようとするスウェーデン総領事の駆け引きを描く。

◆映画『パリは燃えているか』（一九六六年、ルネ・クレマン監督）レジスタンスによるパリ解放を描く。

◆映画『鉄路の闘い』（一九四五年、ルネ・クレマン監督）

◆映画『影の軍隊』（一九六九年、ジャン＝ピエール・メルヴィル監督）

★1　独立運動があった朝鮮の解放はふれられていない。

かし、日本政府はすでに一九四一年、占領地ではさしあたり軍政《ぐんせい》★2をしく、軍が重要国防資源を手に入れる、現地住民への重圧《じゅうあつ》は我慢《がまん》させる、独立運動を早くに誘発《ゆうはつ》させないようにする、などまったく逆の方針を決定、実行していました。★3日本軍への抵抗運動は、アジア各地に見られます。

たとえば、マレー半島に上陸した日本軍と戦ったイギリス軍には、現地華《か》僑《きょう》★4の義勇軍《ぎゆうぐん》がくわわりました。シンガポール陥落《かんらく》後は、イギリス軍が組織した抗日《こうにち》ゲリラや、マラヤ共産党のマレー人民抗日軍の活動が活発になります。日本軍はシンガポール★5やマレー半島で、「敵性華僑狩り」を名目に、多くの中国系住民を虐殺《ぎゃくさつ》しました。

フィリピンではアメリカ軍のマッカーサー将軍が脱出★6した後も、各地で抗日ゲリラが活動しました。フィリピンに残ったアメリカ軍がフィリピン人を山中で組織したのが、ユサッフェゲリラです。また、社会党や共産党系の農民運動を土台にした抗日人民軍（フクバラハップ、略称フク団）もつくられました。彼らは中国共産党のゲリラ戦術を学び、日本軍に対抗しました。追いつめられた日本軍は、マニラ★7だけでなく各地で集団虐殺をひきおこします。

ヴェトナムは大戦中、フランスと日本の二重の支配をうけ、日本による食料収奪《しゅうだつ》で多くの餓死《がし》者を出しました。★8ヴェトナム共産党の指導者ホー・チ・ミンは、一九四一年、フランスと日本のファシストと戦うすべての階級・民族の力を結集するため、ヴェトナム独立同盟（ヴェトミン）を組織します。日本の降伏が伝わると、八月一九日にヴェトミンがハノイで蜂起し、九月二

★2　この場合は、日本軍による占領統治。

★3　米英戦開始直前の一一月に決定した「南方占領地行政実施要領」。大東亜会議前の五月には「大東亜政略指導大綱」で「マライ、スマトラ、ジャワ、ボルネオ、セレベスは帝国領土」と決定している。重要資源の供給地の独立は論外とされた。

★4　海外に移住した中国人とその子孫。

★5　このときの住民の識別と虐殺は「大検証」とよばれ、一九六〇年代に島内各地で人骨が発掘された。骨は戦争記念公園の「血債の塔」の台座の下に収められている。

★6　マッカーサー将軍はコレヒドール島陥落直前に、オーストラリアへ脱出した。

★7　日・米軍の凄惨な市街戦がおこなわれ、市民約一〇万人が犠牲となった。

★8　一九四四年秋から低温や洪水がつづき、米の強制買い上げや流通の問題もあり、北部で飢饉がひろがった。餓死者は二〇〇万人ともいわれる。

ホー・チ・ミン

日ホー・チ・ミンは日本からの独立を宣言しました。
日本のおかげでアジア諸国が独立したとは、とてもいえません。

Q5 原爆は、なぜ八月六日に投下されたのですか。

A 原爆投下を承認《しょうにん》したトルーマン大統領は、戦後、「アメリカ兵の犠牲を減らし、戦争を早期に終結させるため、原爆投下はやむをえなかった」といい、アメリカでは現在も多くの人がそう考えています。★1

一九四五年五月八日にドイツが降伏すると、ヨーロッパでの戦争は終わり、残る敵は日本だけとなりました。しかし日本各地を空襲し沖縄を占領しても、日本は降伏しません。一一月には九州上陸が予定され、四六年三月には関東上陸がめざされていました。

七月一七日から八月二日まで、ベルリン郊外で連合国のポツダム会談がおこなわれました。トルーマンはここで本国から原爆実験成功の連絡を受け取ります。★2 そして七月二五日、八月三日以降に広島、小倉《こくら》、新潟、長崎のいずれかに原爆を投下するよう命令が出されました。日本に早期の無条件降伏を求めるポツダム宣言が出されたのは、その後の七月二六日です。日本政府は受諾《じゅだく》を拒否し、八月二日、アメリカは原爆投下を八月六日と決めました。投

◆映画『戦場のメリークリスマス』（一九八三年、大島渚監督）ジャワ島の日本軍捕虜収容所を舞台に、イギリス軍将校と日本軍将校との関係を描く。
◆映画『レイルウェイ　運命の旅路』（二〇一三年、ジョナサン・テプリツキー監督）泰緬鉄道建設に従事したイギリス人捕虜の体験にもとづく作品。

★1　最近では原爆投下が「世界に平和をもたらした」ともいわれる。アジアでは「日本からの解放をもたらした」という評価もある。

★2　原爆実験の成功は七月一六日に、ポツダムにいたトルーマンに「極秘の至急電」で知らされ、詳報は二一日に伝えられた。

下命令は七月二五日で、ポツダム宣言発表前に出ていたのです。

八月六日、広島への原爆投下は恐るべき被害をあたえました。しかし日本政府は最高戦争指導者会議を開かず、降伏を考えませんでした。そして八月九日未明《みめい》にソ連軍[★3]が中国東北と樺太《からふと》に進撃すると、ソ連の参戦に動揺《どうよう》するなか、最高戦争指導者会議が開かれました。長崎への原爆投下は、その会議のさなかに知らされたのです。

二つの原爆投下のねらいは、ソ連の参戦前にアメリカが自力で日本を敗北させてソ連よりも優位に立ち、戦後世界の主導権をにぎることでした[★4]。そのために広島で約三三万人、長崎で約一九万人、合計約五二万人が犠牲にされたのです[★5]。

★3　一九四五年二月のヤルタ会談で、米英の要請によりソ連の対日参戦が秘密裏に決まった。参戦は「ドイツ降伏の三か月後」とされたので、八月八日が予定された。一方、日本はソ連を介して和平工作をすすめようとしていた。

★4　イギリスの物理学者ブラケットは、原爆投下について「第二次大戦の最後の軍事行動であったというよりも、むしろ目下進行しつつあるロシアとの冷たい外交戦争の最初の大作戦のひとつであった」と記している。アメリカ軍上層部には投下に反対する軍人もいた。

★5　原爆死没者名簿に掲載されている人数で（二〇二一年八月現在）、被爆の後遺症で亡くなる人をくわえ毎年増加している。

◆映画『黒い雨』（一九八九年、今村昌平監督）井伏鱒二の小説の映画化。広島の原爆の恐怖と悲劇を描く。

◆映画『父と暮せば』（二〇〇四年、黒木和雄監督）井上ひさしの戯曲の映画化。敗戦後の広島を舞台に、被爆した父の亡霊と娘を描く。

◆映画『ひろしま』（一九五三年、関川秀雄監督）原爆投下直後の広島を市民の出演で再現し、その後の苦しみと差別を被爆者自身が演じた。

◆映画『この世界の片隅に』（二〇一六年、片渕須直監督）こうの史代の漫画を原作に、敗戦間近の広島と呉をアニメで描く。

ヨルダンのパレスチナ難民キャンプ（1968年。写真提供：AFP＝時事。Ｑ２参照）

17 冷戦の時代

一九四五年、六年間にわたる第二次世界大戦がようやく終わりました。しかし、別の場所で、別の理由で、ふたたび戦争がおきます。アメリカとソ連の冷戦[★]が深刻化し、独立や民族の自決を求めて、アジアやアフリカ、中南米で戦争や紛争《ふんそう》がつづきました。そしてそこにはつねに大国がかかわっていました。

Q1 インド・パキスタン戦争

インドとパキスタンは独立のときに戦争をしたのですか。

A インドの民族運動を主導したガンディーがめざしたのは、全インドでの独立[★1]でした。しかし一九四七年八月、イスラーム教徒はパキスタンを建国、ヒンドゥー教徒はインドへと分かれ、二国家の分離独立《ぶんりどくりつ》となりました[★2]。しかもパキスタンの領土は、インドをはさんで西パキスタンと東パキスタン[★3]に分かれた飛び地でした。各地のヒンドゥー教徒とイスラーム教徒は、自分が信仰する宗教の国に住もうと一斉《いっせい》に移動をはじめ、その過程で大規模

★ 武力は用いないで対立・抗争すること。第二次大戦後の米ソの激しい対立をいう。

★1 インド独立をめぐり、ヒンドゥー教徒とイスラーム教徒の対立が激化した。独立後もガンディーはヒンドゥー教徒とイスラーム教徒の宥和を説いたが、一九四八年一月、過激なヒンドゥー主義者によって殺害された。

な殺しあいや略奪《りゃくだつ》、家族離散《りさん》などの悲劇が生まれました。★4 しかし独立まで両教徒は混在《こんざい》し、共生《きょうせい》していたので、そのまま居住地に残った人たちも大勢《おおぜい》います。★5

インド、パキスタン、中国が接《せっ》する北部の地域をカシミール地方といいますが、多くの地図に国境線はなく、点線が引かれています。これは軍事占領地域を示す境界線です。

カシミール周辺図（現在）

カシミール藩王国《はんおうこく》★6の藩王はヒンドゥー教徒でしたが、その住民の多くはイスラーム教徒でした。藩王はインドへの帰属《きぞく》を考え、人口の四分の三にのぼるイスラーム教徒はパキスタンへの帰属を求めます。住民間の衝突《しょうとつ》がおこるとパキスタン軍が介入し、藩王はインド軍に介入を要請《ようせい》しました。こうして四七年一〇月、独立したばかりのインドとパキスタンのあいだで、第一次カシミール戦争（インド・パキスタン戦争）がおきました。★7

戦争はインド軍優勢《ゆうせい》のうちに展開し、国際連合の調停《ちょうてい》で一九四九年に休戦が成立しました。国連決議は、カシミールの住民投票で帰属を決定するとしましたが、インドは応じません。ソ連がインドを支持し、イギリスとアメリカがパキスタンを支持するという構図も生まれました。国境は今も未確定のままです。

★2 ヒンドゥー教徒主体の独立運動にたいするイスラーム教徒の不満、そしてイギリスによる分離独立工作があった。

★3 現在のバングラデシュ。一九七一年にパキスタンから独立。

★4 避難民は一〇〇〇万人以上、死者は二〇万人以上といわれる。

★5 イスラーム教徒の約三分の一がインド領内に残った。

★6 植民地時代、イギリスに従属した半独立の王侯領。約六〇〇あった。

★7 その後一九六五年、七一年にも戦争をくりかえした。インドは中国とも国境をめぐる戦争をしている。

Q2

パレスチナ戦争

「パレスチナ難民」はなぜ生まれたのですか。

A 第一次世界大戦後、パレスチナはイギリスに委任統治《いにんとうち》★1されました。ヨーロッパ各地のユダヤ人のパレスチナへの移住★2は増加し、ナチ政権の誕生によりいっそう加速され、アラブ系住民との対立が激化《げきか》します。

第二次世界大戦後の一九四七年、イギリスはこの問題を国際連合にあずけ、国連は一一月、パレスチナ分割《ぶんかつ》案★3を決議しました。しかし、それはアラブ側にはまったく納得できない提案でした。このため決議の翌日、パレスチナで内戦がはじまりました。アラブ側には中東各国の義勇兵《ぎゆうへい》が集まり、ユダヤ側も民兵《みんぺい》組織ハガナーを中心に、招集《しょうしゅう》がかかりました。

戦闘は当初アラブ側が優勢《ゆうせい》でしたが、ユダヤ側が逆転し、アラブ系住民を大勢《おおぜい》追放します。この過程でユダヤ側の武装組織イルグン★4は、ディル・ヤシン村で虐殺《ぎゃくさつ》事件★5をおこしました。危険を感じたアラブ系住民はヨルダンなどに逃《のが》れ、「パレスチナ難民」となりました。パレスチナ難民とは、戦禍《せんか》や迫《はく》害《がい》をうけ、パレスチナから外国に逃れた人びとのことです。ユダヤ側は翌四八年の五月一二日までに主要都市を占領し、イギリスの委任統治の最終日の五月一四日、イスラエルの建国を宣言しました★6。

翌一五日、イスラエル独立を認めないアラブ諸国の合計二万一〇〇〇の正《せい》

★1 国際連盟がもうけた植民地などの統治方法。事実上は、戦勝国による植民地の再分割に近かった。

★2 はじまりは、第一次世界大戦中のバルフォア宣言。ユダヤ人の資金協力を得るため、イギリスはパレスチナにユダヤ人の民族故郷の建設を認めた。

★3 当時ユダヤ人は総人口約一九〇万人中の六〇万人。パレスチナの土地の七パーセントを所有していただけだったが、五七パーセントの土地を配分された。

★4 一九三一年創設のユダヤ人の武装組織。指導者はゼエヴ・ジャボチンスキーで、のちにイスラエル首相となるメナヘム・ベギンが後をついだ。

★5 村に戦略的価値はなく、見せしめのための虐殺といわれる。犠牲者は老人、女性、子どもをふくめ二五〇人余りとされていたが、今日では約一二〇人といわれる。

★6 最初に新国家を承認したのはアメリカ。

規《き》軍★7がパレスチナに侵攻《しんこう》し、内戦は戦争に拡大しました。★8しかしアラブ諸国軍は連携《れんけい》が悪く武器も不足、一方イスラエル軍には新しい武器があり、アメリカの支援をうけて頑強《がんきょう》に抵抗しました。一九四九年、休戦協定がむすばれ、戦争は終結します。

この結果、イスラエルはパレスチナの七七パーセントの土地を手に入れました。約八〇万人★9のアラブ系住民のうち、イスラエル国内に残ったのは一〇万〜一八万人で、多くはガザ地区やレバノン、ヨルダンなどに逃れ、今日まで難民生活を強《し》いられています。★10

国連のパレスチナ分割案と
パレスチナ戦争（第1次中東戦争）後のイスラエル

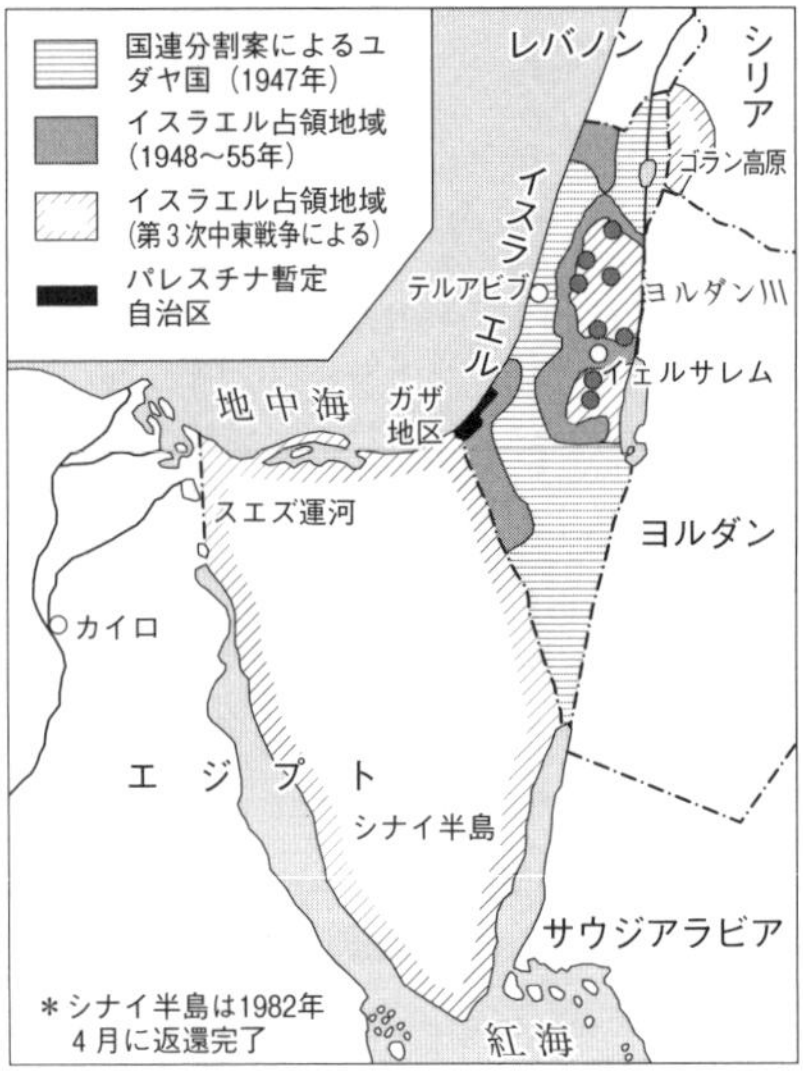

★7 アラブ連盟加盟国のシリア、レバノン、ヨルダン、イラク、エジプト。

★8 パレスチナ戦争、第一次中東戦争。イスラエルは「独立戦争」とよぶ。ナチのユダヤ人虐殺・迫害の直後で、ユダヤ人に同情的な国際世論があった。

★9 残った住民は二級市民のあつかいをうけながら、村の破壊や土地の接収に抵抗した。

★10 今日、パレスチナ難民はその子孫もふくめ五〇〇万人以上とされる。国連総会は帰還権を決議したが、イスラエルは認めていない。

◆映画『栄光への脱出』（一九六〇年、オットー・プレミンジャー監督）イスラエル建国の苦難の道りを描き、アメリカのイスラエル支持の世論形成に影響をあたえた。

Q3

インドシナ戦争

ディエン・ビエン・フーの戦いとは、どんな戦いですか。

A

一九四六年一二月、ヴェトナムでは日本の敗北後、植民地支配を復活させようとするフランスと、ヴェトナム独立同盟（ヴェトミン）[★1]との本格的な戦闘がはじまり、戦火はラオスにも拡大しました。フランス軍[★2]は優勢でしたが、ヴェトミン軍のゲリラ攻撃になやまされ、農村部を支配できません。アメリカは当初フランスを批判していましたが、一九四九年一〇月に中華人民共和国が成立すると、社会主義勢力の拡大を恐れてフランスへの全面支援をはじめました。

一九五四年三月、ヴェトミンがヴェトナム北西部のディエン・ビエン・フーを包囲《ほうい》しました。ここは二〇〇〇メートル級の山々にかこまれた盆地《ぼんち》で、飛行機以外では近づけない、フランス軍が難攻不落《なんこうふらく》の陣地《じんち》としたところです。しかしヴェトミンは、火砲《かほう》を分解して運び上げました。フランス軍は山の稜線《りょうせん》にあらわれた敵に驚愕《きょうがく》。

ディエン・ビエン・フーで勝利し旗をふるヴェトナム兵

★1　一九四一年にインドシナ共産党を中心に結成された民族統一戦線。反日闘争を展開し、日本の敗戦後、ヴェトナム民主共和国を建国。フランスとインドシナ戦争を展開した。

★2　フランス正規軍、現地兵、モロッコなどの植民地兵、外人部隊（外国人兵士で構成された正規のフランス軍）で構成。

雨季のため空軍の活動は制限され、物資の補給もむずかしくなりました。滑《かっ》走路《そうろ》も破壊され、五〇日余りの包囲で基地は陥落《かんらく》します。★3

ジュネーヴの国際会議では、陥落の翌日からインドシナ休戦が協議★4され、七月に休戦協定が成立しました。フランスはインドシナから完全撤退《てったい》となり、ヴェトナムは北緯《ほくい》一七度線を暫定《ざんてい》的な休戦境界線として、南北に分けられました。そして二年後に南北統一選挙がおこなわれ、統一政府が成立することが予定されました。しかしアメリカと南ヴェトナムのバオ・ダイ政権★5はこれに反対し、署名《しょめい》しませんでした。

Q4

キューバ革命

カストロはソ連の支援をうけて、革命をおこしたのですか。

A ちがいます。キューバがスペインから独立したのは一九〇二年ですが、その後は政治も経済もアメリカに支配されるようになりました。一九五二年、軍人出身のフルヘンシオ・バティスタがクーデターをおこし、大統領になります。そして、これまでと同様にアメリカ企業をもうけさせ、アメリカ政府を味方に独裁《どくさい》的な政治をおこないました。

この親米《しんべい》独裁政権に抗議《こうぎ》したのが、二五歳の弁護士フィデル・カストロです。当初は、社会主義を求めていたのではありません。大統領の不正の告発《こくはつ》

カストロ（右）とゲバラ

★3　フランス軍の死者は約二二〇〇人、ヴェトミン軍は約八〇〇〇人。フランス軍の捕虜は約一万人。

★4　参加したのは、アメリカ、イギリス、フランス、ソ連、中国、北ヴェトナム（ホー・チ・ミン政権）、南ヴェトナム（バオ・ダイ政権）、ラオス、カンボジアの九か国。

★5　ヴェトナムを支配したグエン（阮）朝最後の皇帝。一九四九年、フランスの援助をうけ、南ヴェトナムに政権を樹立。

を裁判所に拒絶《きょぜつ》され、武力以外に改革の方法はないと考えた彼は、一九五三年七月二六日、百数十名の仲間とモンカダ兵営《へいえい》を襲撃《しゅうげき》しました。しかし失敗し、カストロは裁判で「歴史は私に無罪を宣告《せんこく》するであろう」と述べました。

その後カストロは大赦《たいしゃ》で釈放《しゃくほう》され、亡命《ぼうめい》したメキシコで再起《さいき》をはかります。一九五六年一一月、エルネスト・ゲバラ★1（チェ・ゲバラ）もくわわった八〇人余りの革命軍は、小さなヨットでメキシコからキューバにむかいました。しかし政府軍に敗《やぶ》れ、東部のシエラ・マエストラ山脈の密林に隠《かく》れます。わずか一二人となった彼らは、ゲリラ戦で抵抗しながら農民に支持をひろげ、仲間を増やしました。そして病院や武器工場をつくり、新聞を発行し、ラジオ放送もはじめました。

一九五八年暮《く》れ、革命軍が中部の重要都市サンタ・クララを陥落《かんらく》させると、バティスタは国外に逃亡しました。翌年カストロが首相に就任《しゅうにん》し、大規模な改革に着手します。アメリカは妨害《ぼうがい》して経済的なしめつけを強め、反革命★2勢力を支援しました。カストロ政権はこれに対抗する過程で社会主義建設という目標をかかげ、ソ連に接近する路線をとりはじめました。

★1　アルゼンチン出身の革命家。ラテンアメリカ各地の革命に参加、ボリビアで革命を指導中に捕らえられ、射殺された。

★2　革命を失敗させる活動。一九六一年四月、亡命キューバ人部隊がCIA（アメリカ中央情報局）に支援され、コチーノス湾に上陸したが、三日間の戦闘で撃退された（ピッグス湾事件）。

◆映画『コマンダンテ』（二〇〇三年、オリバー・ストーン監督）監督自身がカストロにインタビューし、革命家カストロにせまったドキュメンタリー映画。

◆映画『モーターサイクル・ダイアリーズ』（二〇〇四年、ウォルター・サレス監督）医大生時代のゲバラの日記の映画化。南米をバイクで旅し、さまざまな問題を知る。

◆映画『チェ』（二〇〇八年、スティーブン・ソダーバーグ監督）革命家ゲバラの伝記映画。二部構成。

Q5

コンゴ動乱

コンゴの独立は、なぜ大きな騒《さわ》ぎになったのですか。

A アフリカ中部、赤道直下のコンゴは、一九世紀末からベルギーの支配下におかれました。一九六〇年[★1]はアフリカで一七の植民地がつぎつぎに独立した年ですが、コンゴ共和国もこの年の六月三〇日に独立します。大統領はカサヴブ、首相はルムンバ[★2]です。

しかし、それからが大変でした。独立直後の七月五日、軍隊が反乱をおこします。二万人余りのコンゴ軍は、独立前から将校、司令官をベルギー人が独占し、兵士たちは差別に大きな不満をかかえていました。反乱が全国的な暴動《ぼうどう》にひろがると、ベルギーは「ベルギー人の生命を守る」という理由で、ベルギー軍を派遣《はけん》しました[★3]。

そうしたなか、一一日にカタンガ州でツォンベが、コンゴ共和国からの分離独立を宣言しました。南部のカタンガ州は銅、コバルト[★4]、ウラン、金《きん》の有数の産地で、経済的に最も重要な地域でした。宣言には、政治的な独立後も経済支配をねらうベルギ

ルムンバ

★1 一九六四年よりコンゴ民主共和国。一九七一～九七年のモブツ政権時代はザイール共和国と称した。隣接するコンゴ共和国は旧フランス領の別の国。

★2 多民族構成のコンゴで、カサヴブは部族主義の地方分権、ルムンバは民族主義の中央集権を支持していた。

★3 兵士の略奪や暴行がセンセーショナルに報道され、ベルギー人はパニックになった。

★4 ロケットやリチウム電池の製造に必要なレアメタル。

ー、白人植民者や国際的な鉱山資本の策謀《さくぼう》がうかがえます。ツォンベはベルギー軍の介入を要請《ようせい》します。

これに対し中央政府のルムンバ首相は、国連の援助のもとでカタンガ州を制圧《せいあつ》しようとしましたが、到着した国連軍は、ルムンバの要望に応《こた》えません★5。ルムンバは支援を求めてソ連に接近し、アメリカ寄りのカサヴブ大統領と対立、政府は分裂状態になりました★6。

さらに九月には、軍人のモブツがクーデターをおこし、カサヴブ側に立つ彼はルムンバを逮捕、身柄《みがら》をカタンガ州側に引きわたします。ルムンバは秘《ひ》密裏《みつり》に殺され、遺体《いたい》は残らぬよう処理されました。ベルギーやアメリカの意にそわないルムンバは、排除《はいじょ》されたのです。

その後一九六五年にモブツが大統領になり、九七年まで軍事独裁体制をしきました。現在もアフリカの鉱山資源をめぐる争奪戦《そうだつせん》には国際資本が暗躍《あんやく》し、コンゴ民主共和国における紛争《ふんそう》★7、貧困、飢餓《きが》、政情《せいじょう》不安の大きな要因《よういん》となっています。

★5　アメリカは親米政権樹立のために、国連軍を使おうとした。国連軍は軍事的・資金的にアメリカに依存していた。

★6　反植民地主義に立ち、部族主義から民族主義への転換をとなえるルムンバは、ソ連寄りと見られた。

★7　一九九八年以降続く戦乱のなかで、性暴力被害者の女性の治療と支援にあたるデニ・ムクウェゲ医師が、二〇一八年にノーベル平和賞を受賞した。

◆映画『ルムンバの叫び』（二〇〇〇年、ラウル・ペック監督）コンゴ独立時の混乱とルムンバの苦悩を描く。

◆映画『女を修理する男』（二〇一五年、ティエリー・ミシェル監督）デニ・ムクウェゲ医師の活動をとりあげたドキュメンタリー映画。

◆映画『ブラッド・ダイヤモンド』（二〇〇六年、エドワード・ズウィック監督）タイトルの「血塗られたダイヤ」とは、内戦や紛争の武器購入などの資金調達のために採掘、取引されるダイヤ。内戦の長期化、深刻化の要因となる。西アフリカのシエラレオネが舞台。

朝鮮戦争で破壊されたソウル（Ｑ２参照）

18 朝鮮戦争とヴェトナム戦争

第二次世界大戦後は「冷戦の時代」といわれますが、実際には悲惨《ひさん》な「熱い戦争」が、世界各地でおこりました。アジアでは冷戦によって二つの国に分断された朝鮮半島とインドシナ半島で、朝鮮とヴェトナムの人びとが民族の独立と統一をめざして戦いました。

Q1

朝鮮戦争

国連軍が派遣《はけん》されたのですか。

A 一九五〇年六月二五日早朝、北朝鮮（朝鮮民主主義人民共和国）軍が突如《とつじょ》、北緯三八度線[★1]を越《こ》えて韓国（大韓民国）に侵攻《しんこう》しました。[★2] 国際連合の安全保障理事会は、即時停戦《そくじていせん》と北朝鮮軍の撤退勧告《てったいかんこく》を決議します。[★3] またアメリカのトルーマン大統領は韓国支援のため、アメリカ軍の単独派遣《はけん》を決定し、日本駐留《ちゅうりゅう》のアメリカ軍に出動を命じました。

北朝鮮軍は二八日ソウルを占領《せんりょう》しますが、民衆《みんしゅう》は北との統一を望まず、期

★1　第二次世界大戦末期のアメリカ軍とソ連軍の占領の境界線。その後、朝鮮民主主義人民共和国と大韓民国の境界線となっていた。

★2　南北ともみずからの政権の基礎を固めるために、武力による朝鮮統一を訴えていた。

★3　このとき常任理事国のソ連は、中国の国連代表を台湾（国民党政府）から中華人民共和国（共産党政府）に変更するように求めて、安保理への出席を拒否していた。

待した蜂起《ほうき》はおきませんでした。北朝鮮軍は南へ進撃《しんげき》し、南端《なんたん》の釜山《プサン》にせまります。七月七日、国連安保理は「国連軍」の派遣を決定し、アメリカ軍のマッカーサー元帥《げんすい》を国連軍司令官に任命しました。しかし「国連軍」★4とはいうものの、大半は日本駐留のアメリカ軍で、指揮権《しきけん》もアメリカにありました。そして出動するアメリカ軍の空白を埋《う》めるため、マッカーサーが日本政府に創設《そうせつ》を指令したのが、警察予備隊★5七万五〇〇〇人です。

　九月一五日、「国連軍」は北朝鮮軍の背後《はいご》をつく仁川《インチョン》上陸作戦をおこない、ソウルを奪回《だっかい》します。さらに「国連軍」は三八度線を越えて北上、一〇月には平壌《ピョンヤン》を占領《せんりょう》しました。★6「国連軍」が中国国境の鴨緑江《アムノッカン》にせまると、中国が人民義勇軍《じんみんぎゆうぐん》の形で参戦します。この参戦によって「国連軍」は後退し、やがて三八度線を境に戦線は膠着《こうちゃく》して、一九五三年に休戦協定がむすばれました。

　犠牲者数は民間人もふくめ、南北合わせ二〇〇万人をこえるとされます。戦線が南北を行き来するなかで、意思に反して徴兵《ちょうへい》されたり、敵とみなされ虐殺《ぎゃくさつ》されるなど、同じ民族、家族、親《した》しい者のあいだに不信と憎悪《ぞうお》が植えつけられ、多くの離散《りさん》家族が生まれました。★7

朝鮮戦争

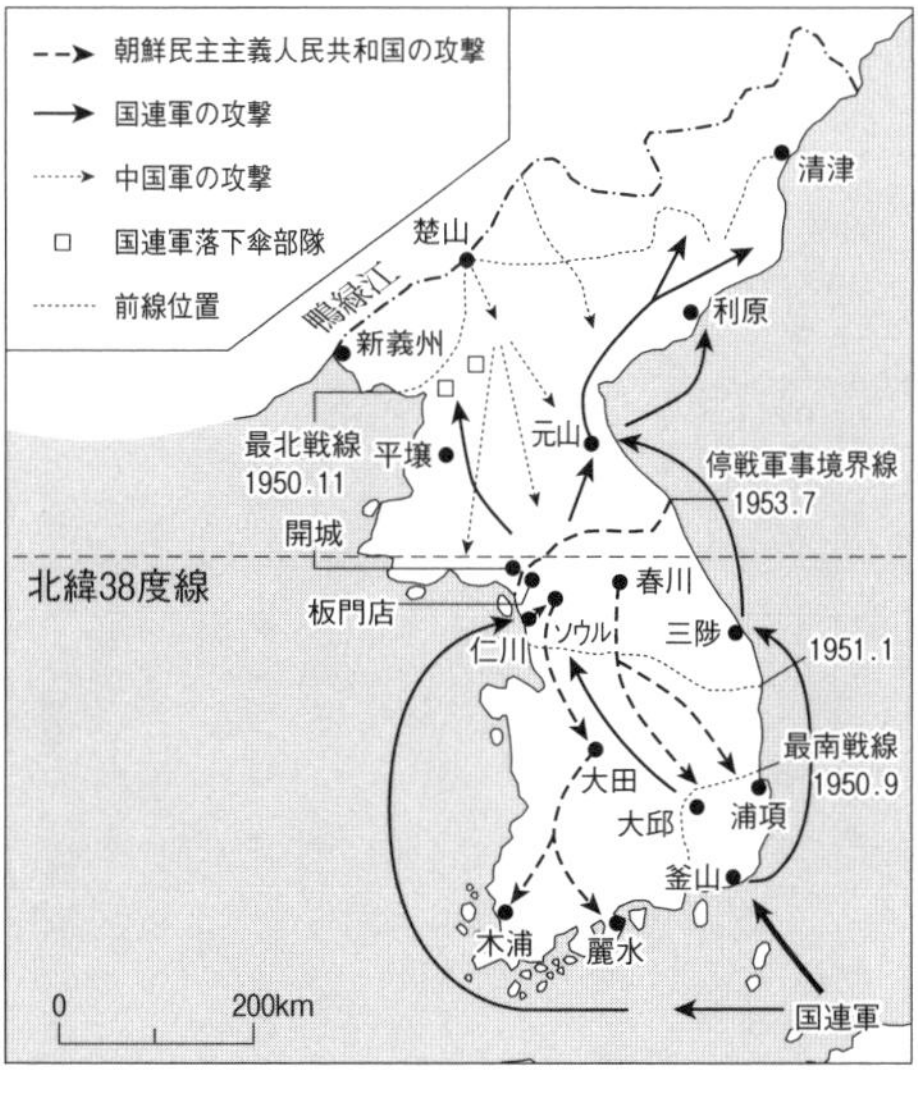

★4　参加国はアメリカ、イギリス、オーストラリアなど一八か国である。本来、国連憲章にもとづく国連軍は、あらかじめ安保理と加盟国間の特別な協定が必要で、指揮権も安保理となる。

★5　現在の自衛隊。憲法無視、国会審議ぬきで成立した。

★6　三八度線を越境することは、韓国防衛という当初の目的からそれて、アメリカの北への侵略につながることになる。

★7　居住地を南北に分けられ、再会できなくなった家族。およそ一〇〇〇万人とされる。

Q2 朝鮮戦争

原爆が使われそうになったのですか。

A 三年間にわたる戦争では、朝鮮半島全体で道路や橋、鉄道などの交通《こうつう》網《もう》、工場や病院、学校、住宅など、社会的・経済的な基盤《きばん》が徹底的に破壊されました。とくにアメリカ軍のB29などによる無差別爆撃は、大きな被害をもたらしました。アメリカが投下した爆弾は六三万五〇〇〇トン、そして高温で広範な地域を焼き尽《つ》くす焼夷弾《しょういだん》★1が三万トン以上使われました。

北朝鮮では工業施設がほとんど破壊され、都市にたいする無差別爆撃によって、平壌は七五パーセント、元山《ウォンサン》は八〇パーセントなど、多くの都市で市《し》街地《がいち》の半分以上が壊滅《かいめつ》しました。これは都市住民にたいする容赦《ようしゃ》ない殺戮《さつりく》です。発電所やダムも空爆されました。一九五三年五月には五つのダムが攻撃され、破壊によって大洪水《だいこうずい》が発生し、農業は大打撃をうけました。

さらにアメリカは、原爆の使用も検討《けんとう》しました。中国の義勇軍が介入し戦局が不利になると、国連軍司令官マッカーサーは、満州への原爆投下と、台湾の蒋介石《しょうかいせき》軍を中国南部に上陸させて第二戦線をつくることを主張したのです。戦域の拡大は、世界戦争につながる恐れがありました。戦争拡大を望まなかったトルーマン大統領は、マッカーサーを解任《かいにん》し、原爆は使われませんでした。

★1 目標を破壊するのではなく、焼きはらう爆弾。第二次世界大戦中にアメリカ軍が日本の木造家屋を焼きはらうために開発した。爆発で内部の油脂が壁や床に飛び散って燃え、水では消えなかったという。今日のナパーム弾にあたり、ヴェトナム戦争で多量に使用された。ナパーム弾には残酷で非人道的という批判があり、アメリカ軍は現在は保有していないというが、疑問視されている。

★2 武装しての侵入が禁止されている。両軍が敷設した地雷が数十万個もあるといわれる。

◆映画『ブラザーフッド』（二〇〇四年、カン・ジェギュ監督）戦争に翻弄される兄弟を、リアルな戦闘シーンとともに描く。

その後二年間にわたり休戦交渉がおこなわれ、北緯三八度線付近の戦線を軍事境界線とし、その両側に二キロずつ非武装地帯★2を設置することで合意が成立しました。現在も朝鮮戦争は終結しておらず、休戦しているにすぎません。

◆映画『高地戦』（二〇一一年、チャン・フン監督）南北境界付近の高地での、停戦発効間際の最後の激戦を描く。
◆映画『国際市場で逢いましょう』（二〇一四年、ユン・ジェギュン監督）ある離散家族をとおし、韓国戦後史を描く。

Q3 ヴェトナム戦争

トンキン湾事件とは何ですか。

A

一九五四年七月のジュネーヴ休戦協定でヴェトナムが南北に分断されると、アメリカは北ヴェトナムを警戒《けいかい》し、南ヴェトナムを全面的に支援します。★1 しかしその南ヴェトナムでは南ヴェトナム解放民族戦線（解放戦線）が、親米独裁《しんべいどくさい》の傀儡《かいらい》政権をたおすため、南ヴェトナム政府軍とアメリカ軍を相手に戦いをはじめました。

一九六四年八月五日、アメリカのジョンソン大統領は、ヴェトナム北部のトンキン湾を軍事行動中の駆逐艦《くちくかん》が、北ヴェトナムの魚雷艇《ぎょらいてい》の二度★2にわたる攻撃をうけ、報復《ほうふく》のため北ヴェトナムを爆撃した、と発表しました。議会はほぼ無制限の戦争遂行《すいこう》権限を大統領にあたえる決議（トンキン湾決議）を、圧倒的多数で採択《さいたく》します。★3 翌六五年、アメリカは北ヴェトナムへの爆撃（北《ほく》爆《ばく》）を日々おこない、本格的なヴェトナム戦争をはじめました。★4 南ヴェトナ

★1 社会主義革命がつぎつぎと隣国に波及するという「ドミノ理論」をもとに介入。南ヴェトナム軍にはアメリカ軍事顧問団がついた。
★2 一回目の攻撃（第一次トンキン湾事件）は、八月二日、一二マイル領海説をとる北ヴェトナムの領海にアメリカ艦船が侵入したため北ヴェトナムの魚雷艇が攻撃、領海外に追いだした。これは「領海侵犯」の問題で、これに対する「報復」は考えられないとされる。二回目の攻撃については、北ヴェトナムは当初から否定していた。
★3 下院は四一六対〇、上院は八八対二。北ヴェトナムへの事実上の宣戦布告となる。
★4 一般に、一九六五年の北爆の開始がヴェトナム戦争の開始とされる。

ムの内戦は、〈南ヴェトナム政府・アメリカ〉対〈解放戦線・北ヴェトナム〉の戦争になったのです。★5

しかし今日では、報復爆撃の口実《こうじつ》とされた二回目の魚雷艇の攻撃は存在せず、北ヴェトナムへの戦争拡大を目的にアメリカがでっちあげたことが明らかになっています。当時の国防長官マクナマラは、『回顧録《かいころく》』で二度目の攻撃はなかったと認め、一九七〇年にアメリカ議会はトンキン湾決議を取り消しました。★6

北爆にともないアメリカは南ヴェトナムへの地上部隊も増派《ぞうは》し、六八年には五四万人にふくれあがります。のべ三〇〇万人をこえるアメリカ兵がヴェトナムに派遣され、五万八〇〇〇人が死亡しました。ヴェトナム側の犠牲者数は推定《すいてい》すらむずかしく、民間人もふくめ二〇〇万人以上といわれ、うち一〇〇万人が兵士★7という説もあります。アメリカ側は二〇〇〇名余りの行方不明者を問題にしますが、ヴェトナムでは三〇万人以上が行方不明となっています。

★5　アメリカに協力してオーストラリア、韓国、フィリピン、タイ、ニュージーランドも出兵。北ヴェトナム側にはソ連、中国、北朝鮮がかかわった。

★6　二〇〇一年九月、ブッシュ大統領にアフガニスタンにたいする九・一一事件の報復戦争を行使する権限を認めるかどうかの決議の際、バーバラ・リー下院議員はトンキン湾事件を例に引いて反対した。

★7　解放戦線、南北軍の兵士などをふくむ。

1965～68年のアメリカによる
北ヴェトナムへの爆撃

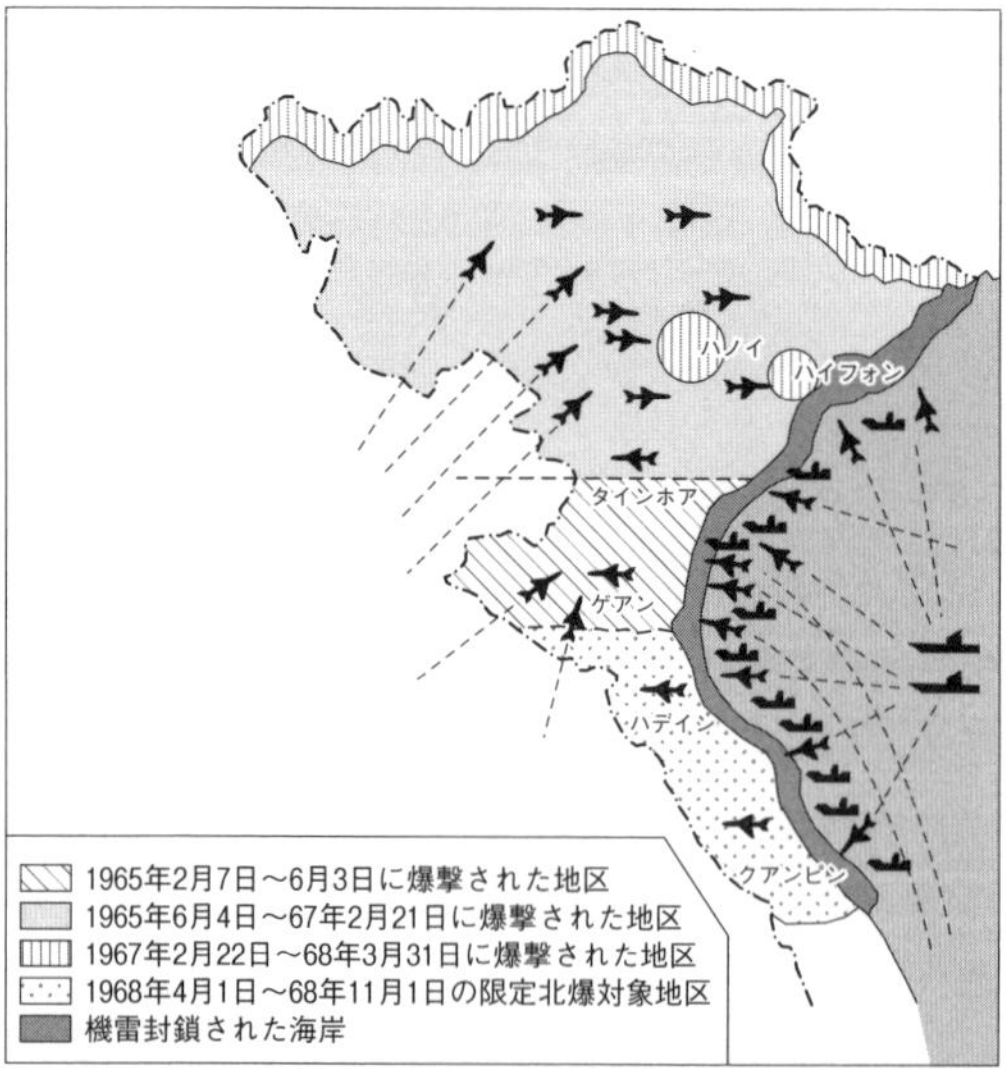

（出所）古田元夫『写真記録　東南アジア５』ほるぷ出版より。

Q4

ヴェトナム戦争

枯《か》れ葉作戦は何をもたらしたのですか。

A

アメリカ軍は、一九六一年から一〇年間にわたり、猛毒《もうどく》のダイオキシン★1をふくむ枯葉剤《かれはざい》★2を南ヴェトナム各地に空から撒布《さっぷ》、地上撒布と合わせ七二〇〇万リットルも撒《ま》きました。★3アメリカの製造工場★4は、二四時間のフル操業《そうぎょう》です。目的は、解放戦線のゲリラがひそむジャングルを枯《か》らし、解放区★5で農作物をつくらせないことでした。当時アメリカ軍は、枯葉剤は人間や動物を殺さず、土壌《どじょう》や水にも影響しないと安全性を宣伝。薬剤をあびる自軍の兵士にも、害はないとくりかえしいってきました。

しかし雨のように降りそそいだ枯葉剤の影響は、すぐ明らかになりました。鶏《にわとり》や魚、そして人体にも多くの異常があらわれ、★6死産《しざん》や奇形《きけい》、障がいのある赤んぼうの出産が増加したのです。さらに終戦後に生まれた子や孫にも、障がいがあらわれました。★7からだの一部が結合したベトとドクの双子が生まれたのは、一九八一年です。のちに彼らが分離《ぶんり》手術をうけたホーチミン市の病院には、障がいをもって生まれた子をサポートする「平和の村」とよばれる病棟《びょうとう》があります。

ヴェトナム政府から枯葉剤被害者にたいする援助はわずかで、枯葉剤を撒いたアメリカは今も何の補償《ほしょう》もしていません。ヴェトナムの「枯葉剤被害者

★1　催奇性や発癌（がん）性をもつ猛毒。直接溶剤をあびるほか、水や土に混じったダイオキシンが体内に入ることで蓄積され、遺伝する。

★2　第二次世界大戦中、アメリカでは原爆開発とともに枯葉剤もふくむ生物化学兵器の開発がすすめられた。

★3　トラックやボート、噴霧器をかついだ兵士によっても撒布された。

★4　今日世界的な企業であるダウ・ケミカル社、モンサント社をふくむ三七社。

★5　南ヴェトナムの解放戦線が支配下においた地区。主に農村。

★6　肌のトラブルや嘔吐、下痢、頭痛、麻痺、視力低下、鬱（うつ）、癌などの症状が見られる。

★7　現在一〇〇万人以上の人びとが枯葉剤による外形的障がい、遺伝疾患（しっかん）や癌などの後遺障がいで苦しんでいるといわれる。

★8　核実験で被曝した兵士にたいする優遇措置と同じ。

協会」と家族は、アメリカの化学薬品会社に賠償《ばいしょう》を求め、集団訴訟《そしょう》をおこしています。

アメリカでも枯葉剤の影響に苦しむ帰還兵《きかんへい》たちが、集団や個人で訴訟をおこしました。一九八一年にはアメリカ上院で、枯葉剤被害兵士に対する治療を国が保障する法案が成立しました。[★8] 枯葉剤の影響は、オーストラリアや韓国など参戦各国の帰還兵にも見られます。しかし、アメリカ政府や化学薬品会社は今も責任を認めず、詳細《しょうさい》な資料も明らかにしていません。

ベト（右）とドクの双子（一九八六年。写真提供：共同通信社）

Q5 ヴェトナム戦争

反戦運動が世界中でおきたのですか。

A ヴェトナム戦争が長期化すると、その悲惨さや政府発表の嘘《うそ》が、テレビなどを通じて知られるようになりました。[★1] そして一九六五年三月、デトロイトのウェイン大学で老婦人が戦争に抗議《こうぎ》して焼身《しょうしん》自殺をしました。[★2] これは国民に目覚《めざ》めをうながすためでした。アメリカの学生たちは反戦集会をはじめ、全国でデモや集会がおこなわれるようになります。

新聞などジャーナリズムもしだいに戦争批判をはじめ、公民権運動の指導者キング牧師も反戦を訴《うった》えます。徴兵《ちょうへい》カードを焼いて兵役《へいえき》を拒否する若者や、軍隊を脱走する兵士も出てきました。[★3] 一九六七年一〇月二一日にはワシント

★1　悲惨さを伝える戦争報道が反戦意識の拡大につながり、「お茶の間で負けた戦争」ともいわれる。

★2　ヴェトナムでは仏教徒による抗議の焼身自殺がおこなわれており、テレビでも報道されていた。

ンで、一〇万人をこえる人がヴェトナム反戦国際統一行動をおこないました。人びとはギターを片手にプロテストソングを歌い、Tシャツやバッジのメッセージで反戦と平和を訴えたのです。またこの年の五月にはイギリスの哲学者バートランド・ラッセルの提唱《ていしょう》で、アメリカの戦争犯罪を裁《さば》く国際法廷★4がストックホルムで開催《かいさい》されました。

ヴェトナムへは最新鋭《さいしんえい》の航空機、艦船《かんせん》が動員され、大型爆弾、ボール爆弾、ナパーム弾、風圧《ふうあつ》爆弾、磁気《じき》爆弾などの対人殺傷《さっしょう》兵器や化学兵器が、市民を巻き込んで使われました。一九六九年にはソンミ村虐殺事件★5が明らかになり、また韓国軍の残虐《ざんぎゃく》行為★6もあり、戦争に反対する声は世界中で大きくなりました。

日本政府は「北爆支持」を表明してアメリカに全面協力し、ヴェトナムへの出撃《しゅつげき》だけでなく、兵士の訓練や治療、休養、兵器の修理も日本でおこなわれました。学生や労働者が反戦運動に立ちあがり、反戦脱走アメリカ兵を支援した「べ平連《へいれん》」★7などの市民運動も活発化。神奈川県の相模原《さがみはら》では、修理を終えて戦場に戻るアメリカ軍戦車の搬送《はんそう》が阻止《そし》されました。

一九六九年に就任《しゅうにん》したニクソン大統領は、反戦運動の高まりのなかでヴェトナムからの撤退《てったい》を決定しました。

★3　自分の良心にもとづく兵役や戦闘の拒否（良心的兵役拒否）。ボクシングのヘビー級チャンピオン、モハメド・アリも、一九六六年、自分にヴェトナム人を殺す理由はないと、徴兵を拒否した。本人の言葉は「ベトコンに恨みはない」。ベトコンとは解放戦線のこと。

★4　市民有志による裁判で、フランスの文化人サルトルやボーヴォワールらが参加した。

★5　一九六八年三月、掃討作戦中のアメリカ軍がソンミ村で、女性や子どもをふくむ約五〇〇人を殺害した事件。

★6　アメリカの要請で派遣された。少なくとも八〇件の韓国軍による民間人虐殺事件があったとされる。

★7　「ベトナムに平和を！市民連合」の略称。

アメリカでのヴェトナム反戦運動（一九六七年）

フォークランド戦争で沈没した駆逐艦
シェフィールド（Q４参照）

19 一九六〇〜八〇年代の戦争

一九六〇年代以降、冷戦を背景に世界各地で、民族や国境などをめぐってさまざまな紛争《ふんそう》がおきました。複数の問題が複雑にからむ紛争の解決はむずかしく、今日まで問題をひきずり、まだ戦争状態が継続《けいぞく》しているところもあります。

Q1 第三次中東戦争

イスラエルは今もパレスチナの支配を強めているのですか。

A イスラエル建国後、中東にはつねに戦争の緊張《きんちょう》がただようようになりました。一九六七年六月五日、イスラエル軍が突然エジプト★1に侵攻《しんこう》。空軍はエジプト空軍基地を爆撃し、わずか三時間で壊滅《かいめつ》させました。翌日、国連安全保障理事会はただちに停戦《ていせん》するよう決議しますが、イスラエル軍は進撃をつづけ、ヨルダン領のヨルダン川西岸地区、エジプト領のガザ地区、シリア領のゴラン高原、エジプト領のシナイ半島を占領《せんりょう》します。イスラエルは、ヨルダンが支配してきた西岸地区にある東イェルサレムも占領し、イェ

★1　エジプトはパレスチナ人の多くと同様イスラーム教を信仰し、周辺アラブ諸国のリーダー的存在だった。

★2　イェルサレムはユダヤ教、キリスト教およびイスラーム教の聖地であるため、パレスチナ自治政府も将来のパレスチナ国家の首都としており、全市をイスラエルの首都とすることには大きな問題がある。このため各国はテルアビブをイスラエル首都の代用として大使館をおいている。

ルサレム全市を支配することになりました。[★2]

六月一〇日、イスラエルとエジプトは国連の停戦決議を受諾《じゅだく》し、戦闘はわずか六日間で終わりました。圧倒的な勝利を得た[★3]イスラエルは、この第三次中東戦争を「六日間《むいかかん》戦争」とよびます。一一月、国連安保理決議二四二号が採択《さいたく》され、イスラエル軍に占領地からの撤退《てったい》を求めましたが、イスラエルは決議を無視しました。

そしてエジプトがシナイ半島の奪還《だっかん》をめざした第四次中東戦争[★4]後の一九七九年、両国は平和条約をむすび、一九八二年にシナイ半島は返還《へんかん》されました。[★5]しかし東イェルサレムをふくむヨルダン川西岸地区やゴラン高原は占領がつづき、ユダヤ人の入植や鉄の壁の建設[★6]によって支配は強まっています。

第一次中東戦争（パレスチナ戦争）以来、パレスチナを追われた難民は増えつづけ、現在は五〇〇万人をこえるといわれます。いつかは故郷に帰れるものと信じ、今でも家の鍵《かぎ》を保管している人がいますが、イスラエルは帰還《きかん》を認めません。アメリカはイスラエル支援をつづけ、二〇一七年にはトランプ政権がイェルサレムをイスラエルの首都と認め、一九年にはユダヤ人の入植まで承認《しょうにん》するようになりました。[★7]

★3　アラブ側の犠牲は約三万、イスラエル側の犠牲は一〇〇〇人にも満たなかった。

★4　一九七三年。

★5　返還はイスラエル国家の存在を認めることと交換だったため、アラブ諸国はエジプトの行為を裏切りと考えた。

★6　二〇〇二年からイスラエルがヨルダン川西岸地域との境界に建設中の壁。高さ八メートル、全長予定約七〇〇キロ。パレスチナ側の領域に侵入して建設されている。

★7　二〇一九年一一月、国連総会で入植停止を求める決議が採択された。

第三次中東戦争における
イスラエルによる占領地区

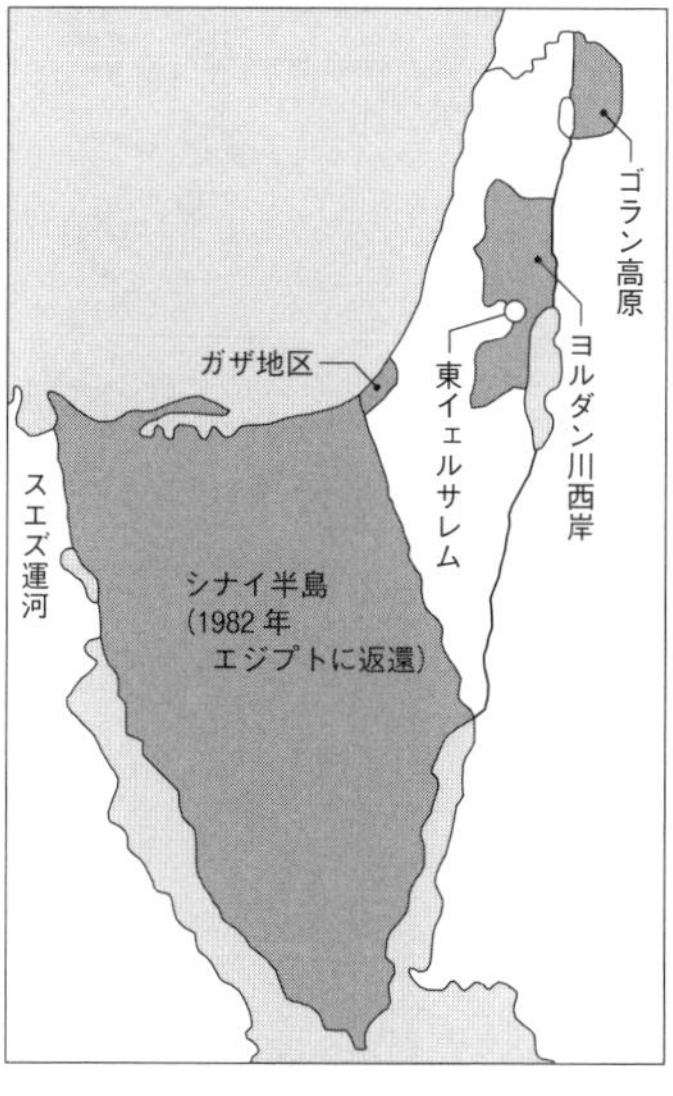

Q2

アフガニスタン侵攻《しんこう》

ソ連軍はアフガニスタンで苦戦したのですか。

A 一九七九年、ソ連が政権内で対立のつづくアフガニスタンに一〇万の兵力で侵攻《しんこう》し、親《しん》ソ派政権を樹立しました。アメリカはただちにアフガニスタンの反政府組織への支援体制を固め、また翌年開催予定のモスクワ・オリンピックのボイコットをよびかけました。★1 アラブ諸国からは多くの義勇兵《ぎゆうへい》がかけつけ、★2 ソ連軍との激しいゲリラ戦が展開されます。

アフガニスタンは山の国です。ソ連軍は山岳《さんがく》地帯にひそむゲリラを掃討《そうとう》するために、大量のヘリコプターを送り込みます。しかし標高五〇〇〇メートルをこえる山々がつらなるアフガニスタンでは、空気密度《みつど》の関係でヘリコプターは低空飛行を余儀《よぎ》なくされ、地上からの攻撃の的《まと》となり、さらに砂嵐《すなあらし》が操縦《そうじゅう》を妨《さまた》げました。その一方で、アメリカやアラブ諸国からのゲリラへの援助は増大し、射程《しゃてい》距離の長い機関砲《きかんほう》やミサイルによって、多くのヘリコプターが撃墜《げきつい》されました。

長期化したソ連軍のアフガニスタン駐留《ちゅうりゅう》は、ソ連経済に大きな負担となりました。ソ連軍兵士の士気《しき》はあがらず、ゲリラとの戦闘でソ連軍の死者は一万五〇〇〇人、負傷《ふしょう》者四万人以上といわれます。★3 また近隣《きんりん》のパキスタンやイランに逃《のが》れたアフガニスタン難民は、数百万人に達《たっ》しました。

★1　支援国はアメリカ、中国、エジプト、サウジアラビアが中心となった。モスクワ・オリンピックは、日本をふくむ六〇か国以上が参加をとりやめた。

★2　無神論を主張する共産主義にアフガニスタンが蹂躙（じゅうりん）されたとして、同胞のムスリムを救うためにジハード（聖戦）をおこなう義勇兵が生まれた。義勇兵をアラビア語でムジャーヒドというが、日本語や英語ではムジャーヒディーンとよばれる。

★3　ゲリラ側の死者は六〇万人とも推定される。

アフガニスタンに展開するソ連軍の部隊（一九八四年）

一九八五年に成立したソ連のゴルバチョフ政権は、事態の打開《だかい》につとめ、一九八九年までに全部隊の撤退《てったい》を完了させました。アフガニスタン侵攻とその失敗は、結果的にソ連の崩壊《ほうかい》をもたらし、また「ジハード」をかかげるテロリズムを台頭《たいとう》させ★4、二〇〇一年の九・一一同時多発テロへとつながりました。ソ連軍撤退後のアフガニスタンでは、対ソ戦を戦った抵抗勢力間の対立が激化《げきか》し、そのなかで台頭したタリバン★5が権力をにぎりました。

★4　義勇兵のある者は祖国に戻り、ある者は新たなジハードを求めて世界に散り、アフガニスタンで新たな役割を模索する者もいた。八九年には「国際テロ組織」アル・カーイダが結成され、その中心がサウジアラビア出身のビン・ラーディンだった。

★5　アラビア語の「学生」。イスラーム神学校の学生で組織されたイスラーム主義の組織で、パキスタンの支援をうけ勢力を拡大した。

Q3 イラン・イラク戦争

戦争でもうけた国がたくさんあるのですか。

A　イラン・イラク戦争は一九八〇年、イラク軍によるイラン石油基地への攻撃でいきなりはじまりました。「ペルシア湾の警察官」ともよばれたイラン軍が、前年のイラン革命で弱体化したことを、イラクのフセイン政権が好機《こうき》としたのです★1。さらにイランの革命政権はパーレビ国王時代の親《しん》米《べい》路線から反米に転《てん》じ、周辺諸国に「イスラーム革命の輸出」をめざしていました。イラクはイランと同じシーア派が多数ですが、建国以来、政権をにぎるのは少数派のスンナ派で、イラン革命の成功は脅威《きょうい》でした★2。

戦争が八年間もつづいたのは、裏で支援する国があったからです。それは、イラクが敗《やぶ》れてイラン革命が拡大することを恐れる周辺諸国や大国でした。

★1　両国には以前から国境問題があった。

★2　人口の半数をこえるシーア派の反体制運動があった。

両国とも軽火器《けいかき》を除いて兵器の製造能力はとぼしく、戦費の多くが外国からの武器購入にあてられました。

ソ連はイラクに大量の兵器を供給《きょうきゅう》し、イランと対立するアメリカもイラクを援助し、イランの軍事情報まで提供していました。しかしその一方で、イランにも裏で武器の売却《ばいきゃく》をおこなっていたのです。[★3] フランスは石油供給とひきかえにイラクに新兵器、とくに航空機の売り込みをはかり、国内でイラク兵の訓練まで引き受けていました。ストックホルム国際平和戦略研究所によると、武器を供給した国は、イラクへは一八か国、イランへは一七か国となり、双方に供給した国もありました。[★4]

この戦争は双方がミサイルで都市を攻撃しあう戦争となり、イラクは国際法に違反して化学兵器も使いました。[★5] 一九八八年、両国は国連決議を受け入れ停戦しましたが、イラン側の戦死者は約二〇万人、イラクも同程度の犠牲を出したと見られます。[★6]

1980年代の中東諸国の武器購入先内訳

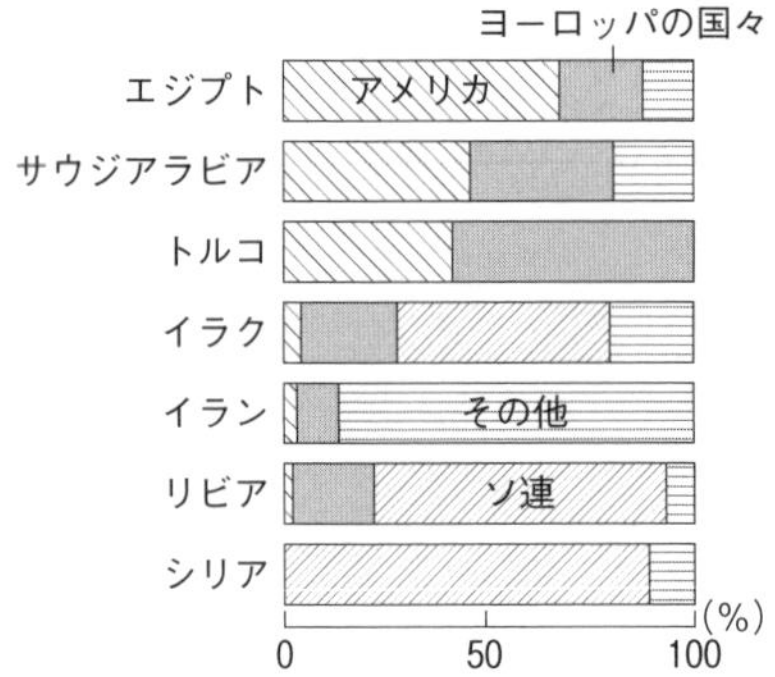

（出所）英国戦略研究所調べ。『毎日新聞』1994年２月７日付より。

★3 「イランゲート（イラン・コントラ）事件」として知られる。レーガン政権は、レバノンで誘拐されたアメリカ人の解放のため、イスラエルを経由してイランに兵器などを売却した。イラクとイランを敵視するイスラエルは、戦争の長期化で両国が疲弊することを期待した。

★4 一九八四年三月の報告。民間の武器商人も大量の武器を供給した。

★5 国際社会はこの事実を知りながら、何の制裁措置もとらなかった。

★6 結果的にアメリカなどはイスラーム革命をイラン一国に封じ込めることに成功した。しかしそのために強大なイラク軍が育成され、のちのイラクのクウェート侵攻につながった。

Q4

フォークランド戦争

アルゼンチンとイギリスが戦争をしたのですか。

A

フォークランド諸島★1は大西洋の最南部、イギリスから一万三〇〇〇キロ離れたアルゼンチンの沖合《おきあい》にある人口二〇〇〇人程度の島で、アルゼンチンではマルビナス諸島とよばれます。南極に近く、ペンギンもいます。

アルゼンチンの軍事政権は以前から島の領有《りょうゆう》権を主張していましたが、一九八二年四月に突如《とつじょ》軍を送り、島を占領しました。これは国民の厳しい政府批判をそらすためでもありました★2。

イギリスのサッチャー政権は、すぐさま二隻《せき》の軽空母《けいくうぼ》を中心とする機動部隊の派遣を決定、奪還《だっかん》をめざしました★3。五月、フォークランド海域に集結したイギリスの艦船《かんせん》は六〇隻をこえ、豪華客船《ごうかきゃくせん》のキャンベラ号やクイーン・エリザベス二世号も、兵士を運ぶために徴用《ちょうよう》されました。イギリス軍は、白く氷が張《は》る島に上陸。空と海でも戦闘がおこなわれ★4、戦争は六月中旬にはイギリス軍の勝利で終わりました。

戦争の犠牲は、公式発表ではイギリス側の戦死二五六人、アルゼンチン側七一二人、これに負傷《ふしょう》者がくわわります。勝利したとはいえ、イギリスは駆逐艦《くちくかん》など艦船七隻、航空機一七機を失いました。最新鋭《さいしんえい》の駆逐艦シェフィールドが、アルゼンチン軍のフランス製攻撃機シュペール・エタンダールが

★1　一六世紀にイギリス人によって発見されたとされ、一八三三年よりイギリスが実効支配。領有権問題は一世紀以上におよぶ。

★2　軍政にたいする国民の不満が増大し、三月には各地で大規模なデモがおこなわれていた。

★3　国連の安全保障理事会はアルゼンチンの侵略を非難し、イギリスにたいしては平和的な解決を勧告。イギリスはこれを無視して軍事行動にふみ切った。国連は黙認し、アメリカはイギリス支持を表明した。

★4　空ではアルゼンチン軍のフランス製ミラージュ戦闘機とイギリス軍の垂直離着陸機ハリヤーが空中戦をおこない、海ではイギリスの原子力潜水艦から発射された有線誘導・音響追尾魚雷タイガー・フィッシュがアルゼンチン軍の巡洋艦を撃沈した。この戦争は「フォークランド紛争」ともよばれるが、明らかに実態は戦争である。

★5　両国は一九九〇年に国交を回復したが、今日でも双方が領有権を主張している。

放《はな》った対艦《たいかん》ミサイル・エグゾセで沈没《ちんぼつ》させられたことで、一気にフランス製のエグゾセミサイルが知られ、価格が急騰《きゅうとう》しました。

この戦争で、当時不況《ふきょう》と雇用《こよう》問題で危機的状況だったサッチャー政権は、支持率が急上昇。一方、敗《やぶ》れたアルゼンチンでは、反軍感情がいっそう高まり、ガルティエリ大統領は辞任《じにん》します。しかしフォークランド諸島の領有権問題は、戦争では何も解決しませんでした。★5

フォークランド諸島の位置

Q5 パナマ侵攻

アメリカは、なぜノリエガ将軍をたおしたのですか。

A 中米のパナマは独立国ですが、アメリカはパナマ運河《うんが》★1の運営と防衛のため、運河地帯にアメリカ軍を駐屯《ちゅうとん》させていました。一九八九年一二月二〇日、アメリカは駐屯軍一万三〇〇〇人に本土からの海兵隊など九五〇〇人をくわえ、運河地帯からパナマに侵攻します。対するパナマ国防軍は一万五〇〇〇人余り、装備も格段に劣《おと》ります。独裁《どくさい》をしいていたマヌエル・ノリエガ将軍は、パナマ市内のヴァチカン大使館に逃《のが》れ、のちに投降《とうこう》しました。★2

侵攻の表向きの理由は、アメリカ人の生命とパナマの民主主義を守ること、

★1　パナマ運河地帯の永久的な使用権をもつアメリカは、一九七七年に新パナマ運河条約を締結（ていけつ）し、一九九九年末の返還を約束。それまではアメリカが運河の運営と防衛を担い、九九年以降は運営・防衛のための土地施設の権利を失うことになっていた。

★2　アメリカ軍がアメリカに連行し、マイアミでの裁判で、麻薬取引などで禁固四〇年の実刑判決。アメリカの刑務所に服役、のちに釈放され病死した。

そして麻薬取引の撲滅《ぼくめつ》でしたが、アメリカ人に生命の危険はありませんでした。重要なのは、ノリエガ軍事政権が反米的姿勢を強め、麻薬の密売《みつばい》組織とつながりをもっていたことです。★3 しかし、それまで将軍はアメリカの協力者であり、CIA（アメリカ中央情報局）を助け、ニカラグアの左翼政権の転《てん》覆《ぷく》にも協力していました。用がすみ、使いづらくなった将軍が、切り捨てられたのです。

ステルス機★4まで使ったアメリカ軍による人口密集地★5への爆撃で、一万八〇〇〇人が家を失い、多くの犠牲者が出ました。三日間の戦闘でアメリカ軍の死者は二三人とされますが、パナマ側の死者数★6は公表されず、被害への補《ほ》償《しょう》もありません。

アメリカのテレビは「パナマ市民はアメリカ軍を解放者として迎えた」と報道し、侵攻の実態を伝えませんでした。国連総会はアメリカの軍事介入を非難《ひなん》しましたが、アメリカは無視しました。パナマ侵攻は、フセイン政権をたおしたイラク戦争のモデルになったといわれます。

★3　コロンビアの麻薬組織とのかかわりも問題とされた。

★4　ロッキードF117ナイトホーク。ステルス機とは、レーダーではとらえることのできない航空機のこと。

★5　攻撃された国防軍の総司令部が、パナマ市の下町にあった。

★6　民間人の死者は四〇〇〇～五〇〇〇人ともいわれる。

アメリカ軍に拘束されたノリエガ

イラクのバラッド空軍基地で無人攻撃機を操縦するパイロットとセンサー員（Ｑ３参照）

20 今日の戦争

東欧諸国とソ連の社会主義政権の崩壊《ほうかい》によって、冷戦体制は終結しました。人びとは平和が訪《おとず》れることを期待しましたが、現実には世界各地でテロや紛争《ふんそう》が頻発《ひんぱつ》しています。テロの温床《おんしょう》となる差別や貧困がひろがり、自民族中心主義《エスノセントリズム》や自国本位、排外《はいがい》主義や危機感をあおる政治家や政治勢力が、支持をひろげています。

Q1 ボスニア内戦

「民族浄化《じょうか》」とは何ですか。

A ボスニア・ヘルツェゴヴィナの首都サライェヴォには、キリスト教の教会や、イスラーム教のモスクがたくさんあります。第二次世界大戦後は多民族国家ユーゴスラヴィア連邦《れんぽう》の一員でしたが、独自の社会主義をひきいてきたティトーが死ぬと、連邦は解体をはじめました。

そして一九九二年三月、ボスニア・ヘルツェゴヴィナが独立を宣言すると、内戦がはじまりました。多数派のムスリム（ボシュニャク人）[★1]、カトリックの

★1　イスラーム教徒。バルカン半島はかつてオスマン帝国に支配され、イスラーム教徒が多い。

クロアチア人は独立に賛成、セルビア正教徒★2のセルビア人は反対、そしてムスリムとクロアチア人も対立するという、三つ巴《どもえ》の内戦です。国際社会は和平実現にむけ積極的にとりくみましたが、なかなか合意が得られません。

それまでボスニアの人びとは、同じ言語を話し、宗教に関係なく混住《こんじゅう》していましたが、内戦がはじまると、三つの勢力はそれぞれの領域《りょういき》の厳密《げんみつ》な区分けと拡大をめざしたのです。このとき欧米のジャーナリズムは、彼らは自分の民族だけの「純粋な」「きれいな」領域をつくるために、他の勢力、異民族を強引に排除《はいじょ》、大量虐殺《ぎゃくさつ》しているとして、「民族浄化《じょうか》（エスニック・クレンジング）」とよびました。

三つの勢力間の凄惨《せいさん》な戦いで、一〇万人以上が犠牲になったといわれます。多くの難民も生まれました。なかでも一九九五年七月、東部のスレブレニツァ★3でセルビア人勢力がおこなった「民族浄化」は、最悪の大量殺人★4とされます。

欧米では、一方的な攻撃にさらされるボスニアのムスリムへの同情が高まり、「人道的介入」が議論となりました。そして欧米諸国を中心に仲介という形で介入がお

旧ユーゴスラヴィア連邦

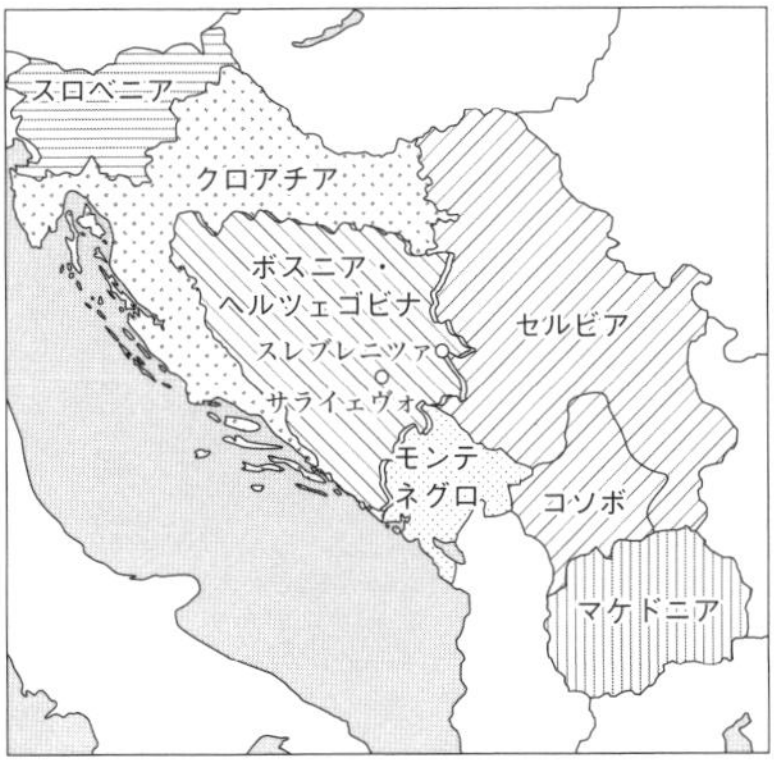

★2　中東、ギリシア、東欧、ロシアなどにひろがったキリスト教の東方教会のひとつ。「〇〇正教」とよばれる。

★3　ムスリム男性約七〇〇〇人が生き埋めや喉を裂かれて殺され、子どもや女性、老人も殺害された。ボスニア側は行方不明もふくめ八〇〇〇人以上の名前をあげている。

★4　旧ユーゴスラヴィア国際戦犯法廷と国際司法裁判所は「ジェノサイド」と認定した。

◆映画『ノー・マンズ・ランド』（二〇〇一年、ダニス・タノヴィッチ監督）ボスニア内戦を描く。「ノー・マンズ・ランド」とは、前線で敵味方のあいだにもうけられた無人地帯。

こなわれましたが、政治的な解決は難航《なんこう》しました。一九九五年八月末には北大西洋条約機構軍（NATO）がセルビア人勢力にたいして大規模な空爆をおこない、一一月、アメリカの主導でいちおうの和平合意が成立しました。

　戦争当時、「民族浄化」は主にセルビア人勢力の行為と報道されましたが、現在では他の勢力の側にも同じような行為があったとされます。

Q2

湾岸《わんがん》戦争

劣化《れっか》ウラン弾《だん》とはどんな砲弾《ほうだん》ですか。

A サダム・フセインが独裁《どくさい》的な権力をにぎるイラクは、一九九〇年八月突如《とつじょ》クウェートに侵攻《しんこう》し、併合《へいごう》しました。[★1] 国連は経済制裁《せいさい》で対処《たいしょ》しましたが、翌年一月にはアメリカ軍を中心に多国籍軍[★2]が組織され、湾岸《わんがん》戦争がはじまりました。徹底的な空爆で基地を破壊し、攻撃能力をうばって地上戦に入る作戦です。格段《かくだん》に兵器の劣《おと》るイラク軍は、あっけなく敗走《はいそう》しました。[★3]
　湾岸戦争は「ハイテク戦争」といわれたように、最新兵器が使用され、ミサイルによる「ピンポイント攻撃」が宣伝されました。精密《せいみつ》な誘導《ゆうどう》装置で軍事施設だけを破壊するといわれた攻撃ですが、実は多くの誤爆《ごばく》がありました。[★4]
また米英両軍は、大量の劣化《れっか》ウラン弾《だん》[★5]をクウェートとイラク南部で使用しました。

◆映画『ウェルカム・トゥ・サラエボ』（一九九七年、マイケル・ウィンターボトム監督）イギリス人ジャーナリストの実体験をもとに、内戦下のサライェヴォを描く。

◆映画『アンダーグラウンド』（一九九五年、エミール・クストリッツァ監督）ナチの侵略からユーゴスラヴィア内戦までの激動の歴史を描く。

★1　国連はただちに安保理が撤退勧告をおこない、経済制裁を決定した。

★2　日本はアメリカがつのった多国籍軍には参加しなかったが、総額一一〇億ドルの資金を提供。地上戦終了後、ペルシア湾に掃海艇を派遣した。第二次世界大戦後、専守防衛に徹した日本が、「国際貢献」の美名のもとにはじめておこなった、自衛隊の海外派兵である。

★3　三月までの戦いで多国籍軍はイラク軍に壊滅的な打撃をあたえたが、フセイン政権は存続した。

★4　油田から出る煙などで視界が悪く、アメリカ軍の同士討ちも多数あった。

「劣化」といっても、威力《いりょく》は激烈《げきれつ》です。劣化ウランは鉛《なまり》の約二倍の比《ひ》重《じゅう》をもち、砲弾の弾頭《だんとう》に装着すると、数キロ先からでも戦車の装甲板《そうこうばん》をつらぬきます。アメリカ軍は湾岸戦争ではじめてこれを使用し、イラク軍戦車の三分の一を破壊したとされます。破壊された戦車は放置され、周辺の土壌《どじょう》や大気からは今も高い放射線が検出《けんしゅつ》されます。

　劣化ウラン弾の汚染地帯にいたアメリカ軍兵士は四〇万人以上とされ★6、多くが体の異常を訴《うった》え、癌《がん》を発病して亡くなった人もいます★7。帰還《きかん》後に生まれた子どもには、先天性障がいもあらわれました。劣化ウランの危険性はすでに指摘されていましたが、国防省は兵士たちに予防教育もしなければ、防護《ぼうご》措置《そち》もとりませんでした。

　その後のイラク戦争でもふたたび大量の劣化ウラン弾が使用され、イラクでは高い比率で子どもの先天性障がい、白血病、癌《がん》などが発生しています★8。

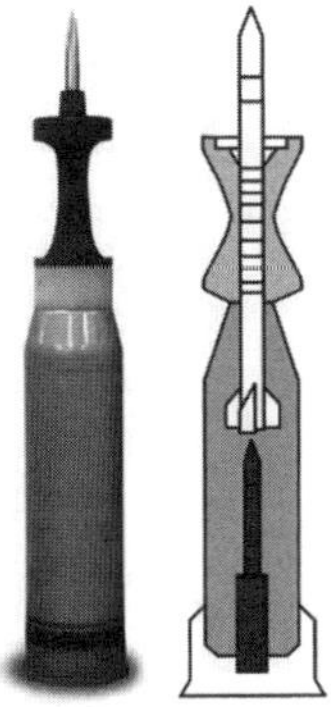
劣化ウラン弾。白で示された矢状の飛翔体の中心に、ウラニウム合金製の侵徹体（弾芯）が収納されている

★5　劣化ウラン（U238）の原料は原子力発電所の廃棄物。半減期は四五億年で、微量とはいえ半永久的に放射線を放出しつづける。湾岸戦争後、ユーゴスラヴィア、アフガニスタン、イラク戦争などで使用され、同様の問題がおきている。

★6　湾岸戦争に従軍したアメリカ軍兵士は七〇万人。

★7　こうした症状は「湾岸戦争症候群」「バルカン症候群」とよばれる。

★8　イラクでは病院の医療体制が追いつかないうえに、経済制裁措置がとられ、医療器具や薬品の入手がとても困難になった。

◆映画『戦火の勇気』（一九九六年、エドワード・ズウィック監督）湾岸戦争中におこった同士討ちをとりあげた作品。

◆映画『ガルフ・ウォー』（一九九八年、ロッド・ホルコム監督）湾岸戦争症候群を体験者の証言や映像などで構成した作品。

Q3

「対テロ戦争」ドローンによる攻撃がおこなわれているのですか。

A 二〇〇一年九月一一日にアメリカのワールドトレードセンターなどへの同時多発テロがおきると、事件はビン・ラーディンらアル・カーイダ★1の犯行によるものと報道され、アメリカはアフガニスタンのタリバン政権が彼らを支援していると非難《ひなん》しました。アメリカ軍を中心とする有志連合《ゆうしれんごう》が結成され、「対テロ戦争」★2がはじまりました。一〇月には米英両軍によるアフガニスタンへの空爆がおこなわれ、多くの民間人に犠牲者が出ます★3。地上戦もおこなわれ、戦闘二か月でタリバン政権は崩壊《ほうかい》しました。

しかし、アフガニスタンは事件そのものとは直接のかかわりがなく、この戦争★4の正当な理由は見つかりません。また実行犯とビン・ラーディンやアル・カーイダとの関係も不明です。タリバン勢力は

無人攻撃機

★1 サウジアラビア出身のイスラーム原理主義者ビン・ラーディンを指導者とするイスラーム武装組織。義勇兵を主体に構成され、「国際テロ組織」とされる。ビン・ラーディンはアフガニスタンを拠点に活動した。

★2 テロ（暴力）にたいし、犯罪行為として警察力を用いた法の執行をするのではなく、軍事力による解決をはかった。しかしアメリカは「戦争」といいつつ、拘束した兵士は「テロリスト」だから、ジュネーヴ条約が定める「捕虜」にはあたらないとした。また民間人への人権保護も適用されないとして、「テロリスト容疑者」を拷問し、キューバのグアンタナモ基地などに移送した。

★3 カタールのテレビ局アルジャジーラが空爆の実態を伝えると、ホワイトハウスは否定したり誤爆と弁明したりした。

★4 タリバン政権との戦争は、最初から遂行が決まっていたのではないかという指摘もある。

復活し、反米、反多国籍軍、反政府の戦いは激しさを増し、二〇二一年八月にはアメリカや他の国もアフガニスタンから軍隊を撤退させることになりました。★5

アメリカ軍は撤退のためにアフガニスタン政府軍の強化をはかり、軍事用無人航空機（ドローン）による空爆★6を増やしてきました。ドローンが、「テロリスト」とみなされる人物を殺しているのです。明らかな誤爆も指摘されており、建物ごと破壊すれば多くの人も巻き込まれ、国際的な非難の声があがっています。

ドローンの操作は、一万キロ以上も離れたアメリカ本土からも可能です。操縦士《そうじゅうし》は基地へ出勤《しゅっきん》し、ドローンのカメラ映像を見て、ミサイルの発射ボタンを押すだけです。犠牲者や破壊は画面のなかだけのこと、音も匂《にお》いもなく現実味はありません。誤爆も多少のリスクぐらいに考えられて、見逃《みのが》されているようです。

アメリカ空軍による従来の空爆だけでなく、ＣＩＡなどによる攻撃もおこなわれており、作戦は秘密のベールにつつまれています。ドローン兵器は、ますます戦争の実態を見えづらくしています。★7

★5　二〇〇一年来、二〇二一年まで、ヴェトナム戦争をこえる「アメリカ史上最長の戦争」となった。米ブラウン大学の研究所によると、対テロ戦争のアメリカ軍死者は七〇〇〇人をこえ、地元民間人の死者は約八〇万人にのぼる。

★6　オバマ政権はブッシュ政権時代と比べ、ドローン攻撃を五倍増加させた。アメリカ軍の兵力削減が課せられるなか、兵員の犠牲をおさえられるドローン攻撃が増加。ドローンの高性能・多機能・小型化はますますすんでいる。

★7　ドローンは世界各国の軍で採用され、発進者が不明なため、宣戦布告もなく相手国の主権を侵害できる。市販の部品で安価に製造可能、操縦も容易、空から接近してほぼ確実に目標に達することから、反政府組織などの新たな「貧者の兵器」ともなっている。

◆映画『ドローン・オブ・ウォー』（二〇一四年、アンドリュー・ニコル監督）アメリカの空軍基地に勤務して、無人機を操作しアフガニスタンを爆撃する軍人の日常を描く。

◆映画『アイ・イン・ザ・スカイ　世界一安全な戦場』（二〇一五年、ギャヴィン・フッド監督）ケニアを舞台に、テロリストにたいするドローン攻撃と巻きぞえ被害をとりあげている。

◆映画『ブレッドウィナー』（二〇一七年、ノラ・トゥーミー監督）タリバン政権下のアフガニスタンで「少年」になって暮らしをささえる少女を描くアニメ。

Q4 イラク戦争「戦争の民営化」とは何ですか。

A 二〇〇三年三月、アメリカのジョージ・W・ブッシュ政権は、イラクが大量破壊兵器[★1]を保持《ほじ》しているとしてイラクを攻撃し、フセイン政権をたおしました[★2]。しかし五月の戦争終結宣言後も抵抗はつづき、アメリカ軍の駐留《ちゅうりゅう》は長期化しました。

侵攻《しんこう》から一年以上経《た》った二〇〇四年三月三一日、イラク中部の都市ファルージャで、アメリカ軍の食料などを運んでいた車列が武装勢力におそわれ、護衛《ごえい》のアメリカ人四人が殺され、バラバラの焼死体《しょうしたい》が鉄橋《てっきょう》につるされました。惨状《さんじょう》の報道はアメリカ国民の怒りをよび、アメリカ軍は武装勢力が拠点《きょてん》とするファルージャを攻撃しました。避難《ひなん》できずに残っていた市民約一〇万人が巻き込まれ、確認された死者は約七〇〇〇人、行方不明者も多数にのぼるといわれます[★3]。

殺されたアメリカ人四人は、アメリカの民間警備会社ブラック・ウォーター社[★4]の社員でした。護衛や警備だけでなく、こうした戦場での物資補給《ぶっしほきゅう》、訓練、作戦への助言、尋問《じんもん》[★5]、基地への支援サービスなど、戦争に必要な仕事をビジネスとして請《う》け負《お》う会社を、民間軍事会社とよびます。その代表といえるアメリカのハリバートン社[★6]は、イラク戦争後の各種復興《ふっこう》事業も担《にな》い、世界

★1 一般には生物兵器、化学兵器、核兵器など。

★2 アメリカは、国連安保理決議にもとづかず、世界中で反戦の声が高まるなか、イギリスなどとともに侵攻した。

★3 アメリカ軍は多くの市民を「テロリスト」とみなし、無差別に殺害した。女性や子どももふくまれ、戦車にひき殺された人もいる。犠牲者・行方不明者数には諸説ある。沖縄のキャンプ・ハンセンを拠点とする海兵隊が、攻撃の主力となった。

★4 海軍特殊部隊シールズのOBが中心。現在はアカデミー社に改称。ハリケーン・カトリーナ後のアメリカ・ニューオーリンズでは、警察にかわって警備も担当した。

★5 イラクでアメリカ軍が収容所としていたアブグレイブ刑務所での収容者虐待事件でも、民間軍事会社の社員が尋問官としてかかわった。

★6 本来は石油などの資源関係の会社。イラク戦争時の副大統領ディック・チェイニーは、副大統領就任前に同社の最高経営責任者をつとめていた。

各地に分散するアメリカ軍に食事を提供するサービスもしています。

民間軍事会社の増加は、戦争の民営化を意味します。★7 これまで軍隊が担っていた任務を、民間に委《ゆだ》ねているわけです。民間軍事会社が請け負う戦争は、ビジネスですから利益の追求が第一となり、軍事行動に支障《ししょう》や乱《みだ》れが出るかもしれません。★8 命令指揮系統《けいとう》も複雑になります。しかし民間軍事会社の存在は、政府や軍にとっては、兵士の犠牲者を減らすだけでなく、議会の承認や戦争法規《ほうき》の適用《てきよう》をうけないという点で、大きな「メリット」があります。

イラクで活動する民間軍事会社は、六〇社以上。二万人以上の社員が働いていました。高額の報酬を受け取る社員は、殺された四人のような元特殊部隊の隊員が多いとされ、世界中で民間軍事会社の需要が拡大しています。国家の安全保障という「公」の部分が民間のビジネスとなり、政治家もからみつつ、企業が巨大な利益をあげているのです。

アフガニスタン警察の隊員（左）と握手するイギリスの民間軍事会社の戦闘要員

★7　軍需品や食料などを供給する兵站（へいたん）部門の民間への委託は、第二次世界大戦から見られ、ヴェトナム戦争ではアメリカ軍のかなりの部分が民間に委ねられた。

★8　二〇〇七年、イラクでアメリカ大使館車両の護衛中、ブラック・ウォーター社の社員が一般市民にむけ発砲、一七人が死亡した。

◆映画『ハート・ロッカー』（二〇〇八年、キャスリン・ビグロー監督）イラク戦争下のアメリカ軍の爆発物処理班員を描く。

◆映画『アメリカン・スナイパー』（二〇一五年、クリント・イーストウッド監督）イラク戦争の英雄とされた狙撃手の半生を、実話をもとに描く。

Q5

核戦争

核兵器廃止の動きはどうなっていますか。

A

冷戦時代、米ソは核兵器の開発競争をすすめ、核実験がくりかえされました。その結果、多くの住民や兵士が放射性物質に苦しめられ、環境汚染も深刻です。

実験だけでなく、実際に核兵器が使われそうにもなりました。朝鮮戦争ではマッカーサーが核兵器の使用を提案して解任《かいにん》され、インドシナ戦争ではアメリカが核兵器の使用をフランスにもちかけました。一九六二年のキューバ危機[★1]は、まさに米ソの核戦争寸前のところでした。ヴェトナム戦争でも、アメリカ軍は北ヴェトナム軍に対して核兵器の使用を考えていました。

こうした核兵器の開発競争のなかで一九五四年、アメリカの水爆実験に日本の漁船が遭遇《そうぐう》した第五福竜丸《だいごふくりゅうまる》事件[★2]がおこります。そしてこれを機《き》に東京杉並《すぎなみ》の主婦がはじめた原水爆禁止署名《しょめい》運動が世界にひろまり、五五年には広島で第一回原水爆禁止世界大会が開催《かいさい》されました。ロンドンでは世界的に著《ちょ》名《めい》な科学者が署名したラッセル・アインシュタイン宣言が出され、カナダのパグウォッシュに科学者が集まり、核兵器問題が討議《とうぎ》されました。六八年、米ソは核兵器の独占のために、核実験に成功しているイギリスとフランス、中国をくわえて核拡散防止条約（ＮＰＴ）[★3]を締結《ていけつ》します。

★1　ソ連のキューバにおけるミサイル基地建設が米ソ間の緊張を高めた。ソ連がミサイルを撤去し、戦争は回避された。

★2　静岡県焼津のマグロ漁船が南太平洋ビキニ環礁で被曝。周辺海域の島民、約一〇〇〇隻の船も被曝した。

★3　米ソ英仏中以外の核兵器保有国の出現を防ぐ条約。不平等との批判や、非加入国などの問題がある。

一九八〇年代には、米ソの中距離《ちゅうきょり》弾道《だんどう》ミサイル（INF）のヨーロッパ配《はい》備《び》への反対から、世界的な反核運動が展開され、八七年に米ソはINF全廃《ぜんぱい》条約に合意しました。廃棄《はいき》数は全核兵器の数パーセントですが、これは史上初の核兵器削減《さくげん》条約です。核兵器のない世界にむけ、非核兵器地帯条約も、南極をふくむラテンアメリカ、アフリカなどでむすばれました。

そして二〇一七年、核兵器の保有や使用の全面禁止、廃絶をうたう核兵器禁止条約が、国連で一二二の国と地域の賛同《さんどう》を得て採択《さいたく》されました。★4 五〇か国の批准《ひじゅん》で発効《はっこう》しますが、核保有国やその「核の傘《かさ》」に依存《いぞん》する日本など★5は採択に参加しませんでした。核保有国はNPTの軍縮義務《ぐんしゅくぎむ》を履行《りこう》せず、「使える核」をめざして最新鋭《さいしんえい》化をはかっています。米ロのINF全廃条約の失《しっ》効《こう》や、アメリカのイラン核合意離脱《りだつ》など、軍縮・不拡散体制の強化とは逆行する動きが強まっています。★6

今日、もはや核兵器抑止《よくし》論★7は通じない一方で、偶発《ぐうはつ》的な事件から核のボタンが押される可能性は高まっていると指摘されます。世界終末《しゅうまつ》時計★8は、二〇一八年には三〇秒すすめられて残り二分となり、さらに二〇二〇年にはあと「一〇〇秒」となってしまいました。★9 それでも二〇年一〇月、核兵器禁止条約を批准《ひじゅん》★10した国と地域は五〇（二一年七月現在は五五）に達し、二〇二一年一月より条約は批准・加入国にたいして法的拘束力をもつようになりました。

これまで見てきたように、歴史は動いています。新型コロナウイルスの感

★4　条約採択の運動をすすめた核兵器廃絶国際キャンペーン（ICAN）は、二〇一七年にノーベル平和賞を受賞した。

★5　日本自身は核兵器をもたないが、核兵器をもつアメリカの力を使って日本の安全を維持しようとする政策をとっている。

★6　北朝鮮の核開発や、対立をつづけるインドとパキスタンが核兵器をもっていること、混迷がつづく中東でイスラエルが核兵器をもっていることは公然の事実となっている。テロリストが核兵器を手に入れる危険性も指摘される。

★7　核兵器の保有はその破壊力ゆえに保有国どうしの戦争を防ぐ、という考え。核兵器の保有を正当化し、核兵器の軍拡競争をうながした。

★8　核戦争の脅威を警告するために、アメリカの科学誌『The Bulletin of the Atomic Scientists』が、一九四七年に作成した仮の時計。核戦争などによる世界の終末を午前零時とし、カウントダウンする。針は世界情勢を科学者が判断し、すすんだり、戻ったりする。これまでもっとも持ち時間があったのは、冷戦が終結した一九九一年の一七分。

★9　核開発をすすめる北朝鮮とアメリカの挑発で二分前とされた。米ソが水爆実験をおこなった一九五三年も二分前だった。二〇二〇年、アメリカのイラン核合意からの離脱などにより、さらに二〇秒すすんだのは、冷戦時代より深刻で、秒単位であらわさなければならないほど、誤差や遅れもゆるされない非常事態であるとされる。

★10　総会での採択は安全保障理事会の決議とは異なり、加盟国を拘束しない。しかし批准されれば国際政治に影響をあたえる可能性がある。

染拡大★11の前後で世界が変わってきたように、何かがあれば世界は急速に変化します。私たちが学生のとき、終わらないと思っていたヴェトナム戦争が、アメリカの敗北で終結しました。この先もずっとあるのだと思いこんでいたベルリンの壁も、崩されました。また、大国ソ連がなくなるなんて、思ってもみませんでした。

　過去に今とはちがう社会があったように、これからも現在の社会は変わっていきます。核兵器の廃絶の道は困難ですが、政治家や軍人に任せるのではなく、私たちが力を合わせてとりくんでいくべき課題です。

世界の非核兵器地帯

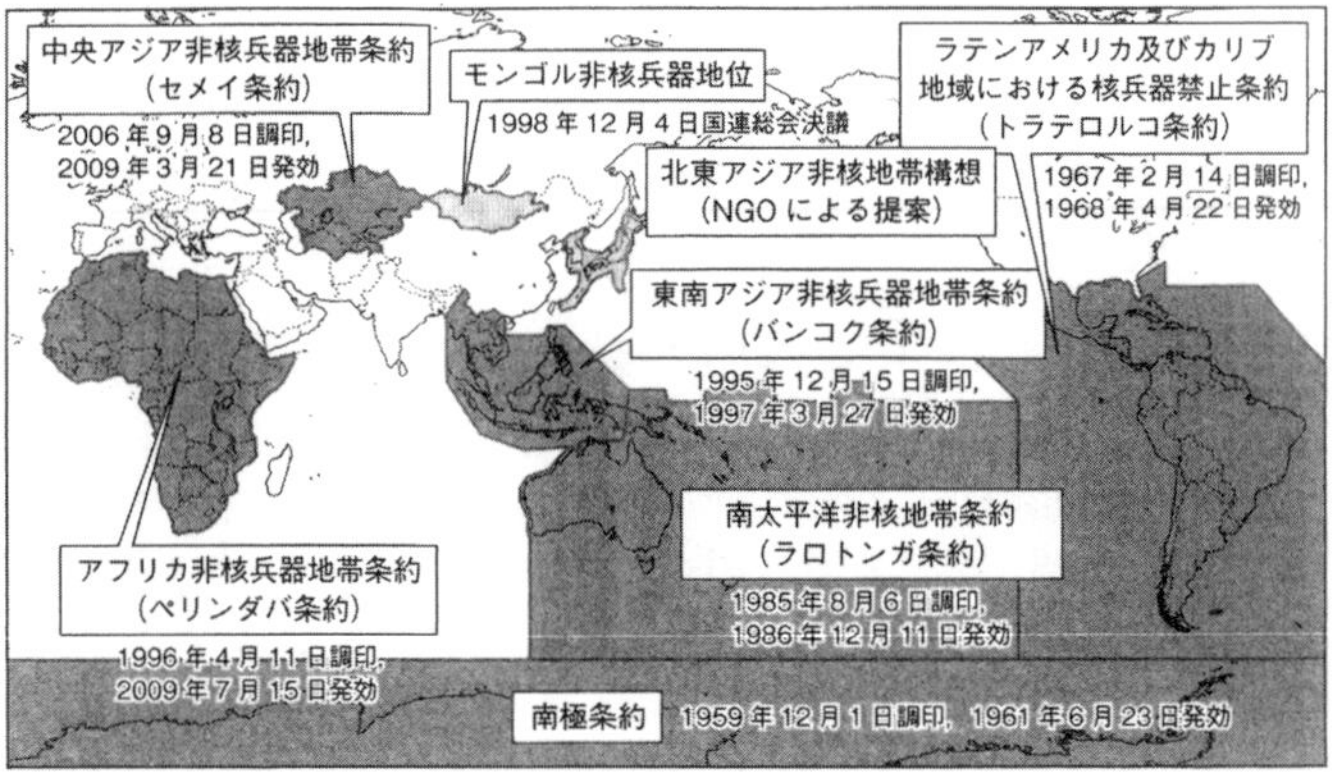

（出所）川崎哲『核兵器はなくせる』岩波ジュニア新書，2018年，76ページ

★11　二〇一九年一二月に中国で発生が確認され、急速に感染が拡大。二〇二一年八月の段階で世界全体の感染者数は二二〇〇万人にせまり、死者四五〇万人以上とされる。

◆映画『原爆の子』（一九五二年、新藤兼人監督）作文集『原爆の子　広島の少年少女のうったえ』をもとに、はじめて直接原爆をとりあげた作品。

◆映画『風が吹くとき』（一九八六年、ジミー・T・ムラカミ監督）原作レイモンド・ブリッグズ。核戦争がおきたイギリスの田舎を舞台に、老夫婦を描くアニメーション。

参考文献（著者50音順）

麻田雅文『シベリア出兵――近代日本の忘れられた七年戦争』中央公論新社，2016年
朝日新聞外報部『狂ったシナリオ――フォークランド紛争の内幕』朝日新聞社，1982年
飯倉 章『第一次世界大戦史――諷刺画とともに見る指導者たち』中央公論新社，2016年
池上裕子『日本の歴史15　織豊政権と江戸幕府』講談社，2002年
板谷敏彦『日本人のための第一次世界大戦史――世界はなぜ戦争に突入したのか』毎日新聞出版，2017年
市川定春『古代ギリシア人の戦争』新紀元社，2003年
伊藤千尋『反米大陸――中南米がアメリカにつきつけるNO!』集英社，2007年
カタリン・エッシェーほか著，新保良明訳『アッティラ大王とフン族――〈神の鞭〉と呼ばれた男』講談社，2011年
NHK取材班『始皇帝―― THE FIRST EMPEROR』日本放送出版協会，1994年
長田俊樹『インダス文明の謎――古代文明神話を見直す』京都大学学術出版会，2013年
落合淳思『殷――中国史最古の王朝』中央公論新社，2015年
金子常規『兵器と戦術の世界史』中央公論新社，2013年
金子隆一『アナザー人類興亡史』技術評論社，2011年
ブルース・カミングス著，栗原 泉ほか訳『朝鮮戦争論――忘れられたジェノサイド』明石書店，2014年
熊谷公男『古代の蝦夷と城柵』吉川弘文館，2004年
小林一美『増補　義和団戦争と明治国家』汲古書院，2008年
ダン・コンシャーボク，ダウド・アラミー著，臼杵 陽監訳『双方の視点から描く パレスチナ/イスラエル紛争史』岩波書店，2011年
エリアス・サンバー著，飯塚正人監修『パレスチナ――動乱の100年』創元社，2002年
パット・シップマン著，河合信和監訳『ヒトとイヌがネアンデルタール人を絶滅させた』原書房，2015年
田中宏巳『東郷平八郎』吉川弘文館，2013年
鳥井 順『イラン・イラク戦争』第三書館，1990年
中村 哲『日本の歴史16　明治維新』集英社，1992年
服部英雄『蒙古襲来と神風――中世の対外戦争の真実』中央公論新社，2017年
ジェイムズ・ハーパー著，本村凌二監修『シリーズ絵解き世界史5　十字軍の遠征と宗教戦争』原書房，2008年
オーランドー・ファイジズ著，染谷 徹訳『クリミア戦争』上下，白水社，2015年
橋爪大三郎『戦争の社会学――はじめての軍事・戦争入門』光文社，2016年
マイケル・ハワード著，奥村房夫ほか訳『改訂版　ヨーロッパ史における戦争』中央公論新社，2010年
ジェフリー・ペレット著，林 義勝ほか訳『老兵は死なず――ダグラス・マッカーサーの生涯。』鳥影社，2016年
前田哲男『戦略爆撃の思想――ゲルニカ・重慶・広島　新訂板』凱風社，2006年
松本利秋『戦争民営化――10兆円ビジネスの全貌』祥伝社，2005年
三須拓也『コンゴ動乱と国際連合の危機――米国と国連の協働介入史、1960～1963年』ミネルヴァ書房，2017年
三橋広夫『これならわかるベトナムの歴史Q&A』大月書店，2005年
マルタン・モネスティエ著，吉田春美ほか訳『図説　動物兵士全書』原書房，1998年
山崎元一『アショーカ王とその時代』春秋社，1982年
山室信一ほか編『現代の起点　第一次世界大戦』全4巻，岩波書店，2014年
吉村作治ほか『キーワードで探る四大文明』NHK出版，2001年
吉村慎太郎『イラン現代史――従属と抵抗の100年』有志舎，2011年
ジェフリー・リーガン著，森本哲郎監修『ヴィジュアル版 「決戦」の世界史――歴史を動かした50の戦い』原書房，2008年
『世界の戦争・革命・反乱　総解説』自由国民社，1998年

写真提供元

◆カバー（表示が必要なもののみ）
下から２番目＝イラク戦争で砲撃するアメリカ軍の自走砲（写真提供：共同通信社）
下から１番目＝イラク戦争の空爆で両親を失い泣き叫ぶ子ども（写真提供：共同通信社）

◆本文中（表示が必要なもののみ。数字はページ数）
5　写真提供：SPUTNIK・時事通信フォト／8　Maros Mraz, CC 3.0（部分）／13　tak.wing - Yinxu, CC 2.0／24　Eric Gaba (Sting - fr: Sting) - Own work; based upon a drawing of Jean Taillardat in La Trière athénienne et la guerre sur mer aux Ve et IVe siècles, 1968., CC 3.0／26　user: shako, CC 3.0／29　Diliff, CC 2.5／37　Maros Mraz, CC 3.0／38　Bpilgrim, CC 2.5／40　Hao Wei, CC 2.0／45　Muhammad Mahdi Karim; edited by jjron, GFDL 1.2／54　Softeis, CC 2.5／64　user: shakko, CC 3.0／76　福井県　https://www.library-archives.pref.fukui.lg.jp/fukui/07/zusetsu/B22/b226.jpg ／87上　Martin St-Amant (S23678), CC 3.0／99　DO'Neil, CC 3.0／109　写真提供：下諏訪観光協会／131　© 2020 - Succession Pablo Picasso - BCF (JAPAN)　写真提供：アフロ／143　写真提供：AFP＝時事／158　写真提供：共同通信社／160　Nathalmad, CC 3.0／178　川崎哲『核兵器はなくせる』岩波ジュニア新書，2018年，76ページ

著者
石出法太（いしで・のりお）
1953年生まれ。法政大学・立正大学・関東学院大学非常勤講師。歴史教育者協議会会員。

石出みどり（いしで・みどり）
1954年生まれ。東京都立大学・都留文科大学・立正大学非常勤講師。歴史教育者協議会会員。

二人の共著書に『これならわかるオリンピックの歴史Q&A』『これならわかるイギリスの歴史Q&A』『これならわかるアメリカの歴史Q&A』（いずれも大月書店）ほか多数。

装幀・本文デザイン　谷元将泰

これならわかる戦争の歴史Q&A

2020年9月15日　第1刷発行　　定価はカバーに
2021年9月30日　第2刷発行　　表示してあります

著　者　石出法太
　　　　石出みどり
発行者　中川　進

〒113-0033　東京都文京区本郷2-27-16
発行所　株式会社　大月書店　　印刷　太平印刷社
　　　　　　　　　　　　　　　製本　中永製本

電話（代表）03-3813-4651　FAX 03-3813-4656　振替00130-7-16387
http://www.otsukishoten.co.jp/

ISBN978-4-272-50226-4　C0022　Printed in Japan